MAÍRA MEDEIROS

Este livro é coisa de Mulher

DESCONSTRUINDO PARA CONSTRUIR

Outro Planeta

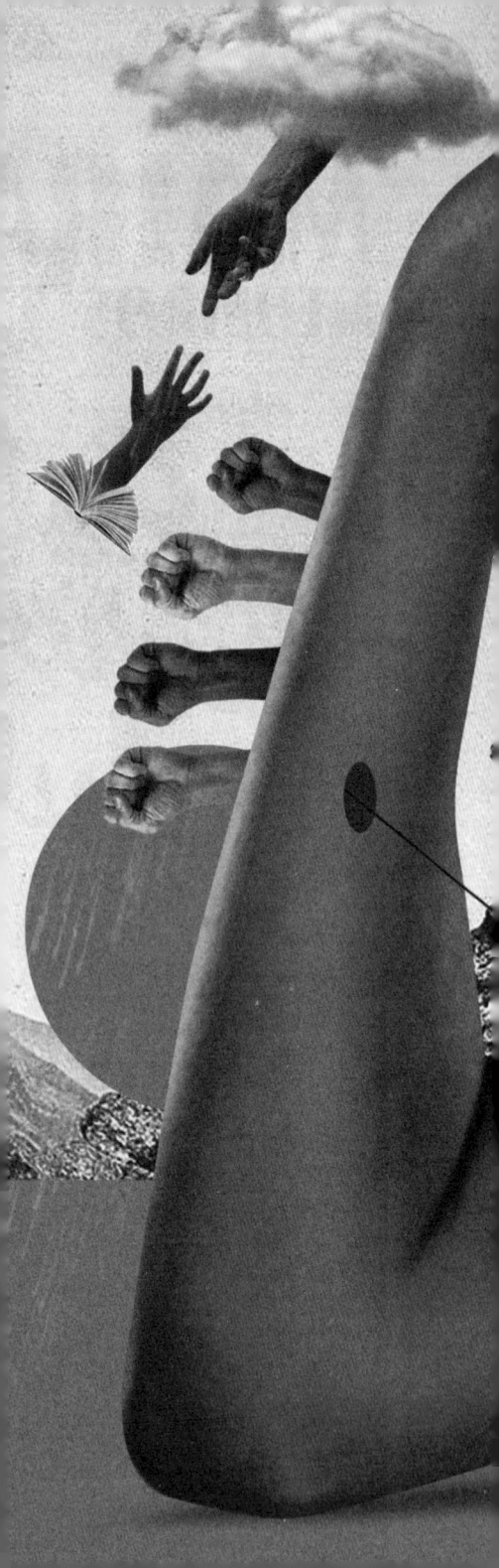

Copyright © Maíra Medeiros, 2020
Copyright © Editora Planeta do Brasil, 2020
Todos os direitos reservados.

Organização de conteúdo: Malu Poleti
Preparação: Alice Ramos
Revisão: Fernanda França e Vanessa Almeida
Projeto gráfico e diagramação: Natalia Perrella
Ilustrações de miolo: Elisa Riemer, Camila Padilha, Eve Queiróz, Kaol Porfirio, Helô D'Angelo, Flávia Borges, Gabis
Capa: Filipa Damião Pinto / Foresti Design

Dados Internacionais de Catalogação na Publicação (CIP)
Angélica Ilacqua CRB-8/7057

Medeiros, Maíra

    Este livro é coisa de mulher: desconstruindo para construir / Maíra Medeiros. -- São Paulo: Planeta do Brasil, 2020.

    176 p.

ISBN: 978-85-422-1878-7

1. Mulheres - Poder 2. Feminismo I. Título

                                                                              CDD 305.42

19-1771

Índices para catálogo sistemático:
1. Mulheres - Poder

2020
Todos os direitos desta edição reservados à
EDITORA PLANETA DO BRASIL LTDA.
Bela Cintra, 986 – 4º andar – Consolação
01415-002 – São Paulo-SP
www.planetadelivros.com.br
faleconosco@editoraplaneta.com.br

Todo mundo nasce desconstruído.
Daí vem a sociedade e constrói um
bagulho errado por cima.

"Nossa premissa feminista é: eu tenho valor."

– CHIMAMANDA NGOZI ADICHIE

SUMÁRIO

CAPÍTULO 1
Você é FODA, querida! — **22**

CAPÍTULO 2
O mundo para a MULHER — **44**

CAPÍTULO 3
GIRL POWER para quem? — **80**

CAPÍTULO 4
Comprar, comprar e COMPRAR! — **102**

CAPÍTULO 5
Vamos CONVERSAR? — **118**

CAPÍTULO 6
AUTOCUIDADO para desconstruir — **146**

PREFÁCIO

Segundo um ditado popular, para um ser humano dizer que viveu bem a vida, essa pessoa precisa ter feito 3 coisas:

> 1. Plantar uma árvore
> 2. Escrever um livro
> 3. Ter um filho

Eu já tô imaginando que, com a publicação deste livro, as cobranças pra que eu tenha um filho se intensifiquem! Isso porque eu já plantei uma árvore quando era bem criança, (e quando talvez tenha sido a primeira vez que eu tenha ouvido essa lista). Então a única coisa que falta é ter um filho ou filha! E para desespero de quem quer popular mais ainda um mundo superpopuloso, por enquanto (e este enquanto já vem durando bastante tempo) eu não quero ter filhos!

Por que falar disso agora? Bom, como é um livro de desconstrução eu já trago essa informação porque ser mãe é uma das coisas que as pessoas mais cobram de uma mulher. Às vezes sou questionada sobre isso por pessoas que eu nem conheço ou que sequer se preocupam em saber se eu posso ou não ter filhos. Como se filho fosse a única coisa que a gente sabe fazer!

Aos que questionam se eu não vou me sentir incompleta sem um bebê, eu já chego perguntando: Você já achou que a vida de alguém estava incompleta porque ela não escreveu um livro? Ou porque ela não plantou uma árvore?

Bom, já que possivelmente eu não vou fazer um item da lista, outro item eu já fiz quando criança, então eu preciso ir muito bem no que estou fazendo agora! Este livro vai basicamente me ajudar a falar de coisas que entendi como corretas e certas desde que era criança, mas quando passei a questionar, eu percebi que por trás do "sempre foi assim" tinha muita coisa mostrando desigualdade, desvantagem, injustiça ou uma certa obrigação embutida. E que grande pé no saco (ou seria na teta?) que é admitir pra você mesma que a vida que a gente vive é desigual e que nem todas as pessoas a sua volta são capazes de enxergar isso.

Como por exemplo o fato de associarem se minha vida vai valer a pena ou não dependendo se vou ter filhos ou não. Isso nada mais é que **mais** uma coisa pra gente jogar na nossa "mochila" de deveres que temos que cumprir para sermos mulher de verdade. E Basicamente deveres como: ter filho, se depilar, usar cabelo longo, ter determinada "configuração biológica", são todos "coisa de mulher"... Mas quem determina essas? E por que ninguém tem tempo pra ouvir de uma mulher o que é ser mulher para ela?

A liberdade da mulher na sociedade é igual a bolso de calça feminina. Aparentemente existe e tá lá todo bonitinho, mas quando você vai usar, descobre que é falso.

Tentar mudar o "sempre foi assim" parece perda de tempo, e pouco a pouco você desiste de questionar o que você vê de estranho e vai se deixando levar por todo aquele senso coletivo... certo? ERRADO!

Só uma mulher sabe como é ouvir desde criança "só podia ser mulher" quando alguma coisa sai errada no trânsito, no meu caso eu me lembro muito de quando era criança, minha mãe dirigindo e eu no banco de trás, minha mãe dirige muito bem, mas mesmo assim ela não era imune a ouvir gritos de homens falando pra ela pilotar fogão. Eu cresci e me esforcei muito pra ser uma boa motorista e dirigir bem, mas logo depois descobri que só pelo fato de ser mulher, automaticamente as pessoas acham que eu dirijo mal... e lá estava eu, com as mãos no volante ouvindo grito de um cara que me fechou me mandando pra cozinha e pro fogão (que inclusive não sei cozinhar). Eu nem tive chance de provar o contrário sobre mulheres no volantes, as pessoas estavam certas demais que se algo deu errado no trânsito, a culpa era da mulher. Aliás, você se lembra qual foi a primeira vez que alguém te censurou, repreendeu ou falou que você não conseguiria fazer alguma tarefa por você ser mulher?

Eu compartilhei neste livro as percepções, questionamentos, dúvidas, reflexões e tantas outras coisas que tive ao longo da minha vida vistos pelos meus olhos. E que só tive porque eu sou MULHER! Minha curiosidade natural (pela minha personalidade, não pelo meu gênero!) foi minha força motriz pra ir atrás de informação para entender o que estava acontecendo com o mundo e porque parecia que estavam torcendo contra o meu sucesso. A partir do momento que eu encontrei algumas respostas, eu consegui responder outras novas perguntas que iam surgindo. E assim fui percebendo que anos vivendo essa coisa que se chama VIDA me fez acreditar que eu tinha que correr atrás das minhas vitórias com a consciência que meu ponto de partida era diferente que o de outras pessoas.

E, apesar do meu ponto de partida ser diferente de outras pessoas, isso não significava que eu estava lá no final.

A verdade é que estou na frente de muita gente. Comecei a perceber que a cor da sua pele, sua idade, seu corpo, sua aparência, sua classe social, onde você mora... tudo isso conta na hora de viver sua vida, competir o jogo da vida e "vencer". É como se na hora que você fosse escolher o peão que você quer usar no jogo de tabuleiro, você visse que alguns possivelmente poderiam fazer com que sua chegada ao final fosse mais difícil.

Por isso todas as coisas que trago neste livro estão passíveis a terem outras interpretações e percepções. Depende muito de quais são as experiências de quem lê. Me sinto até audaciosa por ter dado este nome para o livro. Deveria ter colocado um parêntesis, ia ficar assim: Este livro é coisa de mulher (na minha vivência, pelo menos é. E na sua?). Se você que lê isso é uma mulher trans ou indígena ou negra ou uma mulher com deficiência... você pode ter uma relação diferente com os tópicos que eu vou abordar aqui justamente porque são diferentes de mim. Tive a sorte grande de em pouco tempo de questionamento dos meus papeis no mundo eu já entendi que nunca vamos ter os mesmos pareceres do que é viver na sociedade porque temos uma pluralidade enorme de mulheres no mundo. Eu adoraria ter a capacidade de conseguir colocar neste livro absolutamente todas as possíveis interpretações e salientar todos os recortes sociais. Mas é humanamente impossível.

Um exemplo disso: por eu ter nascido uma mulher cis, que se reconhece como mulher desde sempre, passei por coisas diferentes do que uma mulher trans que fez sua transição na adolescência passou, que por sua vez passou por coisas diferentes que uma mulher que se transicionou mais tardiamente. Eu desde muito pequena sempre fui muito incentivada a ser magra e buscar um corpo legal, mas sempre fui alertada a não usar roupas que pudessem chamar a atenção de homens na rua. Uma mulher trans não passa por este tipo de opressão nesta idade, mas passa por outras, uma mulher indígena também tem suas vivências bem diferentes da minha e assim em diante.

O que fazer nesses casos? Conversar, ouvir, tentar entender como as coisas são. Afinal somos mulheres e não somos todas iguais. Somos muito diferentes em muitos aspectos e essa pluralidade e diversidade precisa aparecer pra que a gente possa conhecer verdadeiramente umas as outras! Eu me abri aqui para que vocês conheçam um pouco do meu relacionamento com "ser mulher". Caso você queira compartilhar a sua, pode falar comigo via e-mail.[1]

Escrever este livro foi uma loucura, me fez rir e chorar na mesma intensidade. Troquei o tema, recomecei ele do zero duas vezes e quando ele estava quase sendo impresso eu cancelei tudo porque eu quis fazer alguns ajustes – que foram primordiais! Inclusive o prefácio que você tá lendo foi a última coisa que eu escrevi! Eu tô fazendo isso com um sorriso enorme no rosto! Foram esses últimos retoques que me fizeram sentir muito orgulho por ter transformando boa parte do que me faz uma mulher melhor em livro. <3

Apesar dos perrengues, todos da editora, meus familiares e amigos passam bem e acredito que vão se recuperar em breve da experiência que foi tudo isso aqui! Este projeto é mais do que a realização profissional e o reconhecimento

---

1 colabore@mairamedeiros.com

de tudo o que construí (ou seria, descostruí?) até hoje, ele também se trata de conseguir levar para mais gente meu trabalho na internet. Então, por causa disso tudo, senti que havia em mim uma responsabilidade e uma vontade de fazer bonito, de dar um show e, de alguma forma, acreditar e fazer algo pra que o mundo a nossa volta mude pra melhor! Espero que gostem!

VAMOS JUNTAS ;)

Escrever este livro foi uma verdadeira loucura!

Como boa geminiana que sou, eu mudei o tema dele algumas vezes, ora pensei em um assunto ora em outro, mas no fim: mudei tudo! Recomecei umas três vezes, quase deixei meus amigos e meu marido malucos, além, é claro, de assustar o pessoal da editora ao estourar os prazos...

A maior parte do livro foi produzida durante voos de avião, em que a internet não existia, o que me impedia de arejar a cabeça com outros assuntos, quando a inspiração para continuar a escrevê-lo sumia. Também houve muitos momentos nos quais eu tive de ouvir músicas que simplesmente não conhecia, porque o silêncio era horrível e, se eu ouvisse algo que soubesse cantar a letra, bastaria apenas três minutos para começar a fazer uma dublagem da música no maior estilo *RuPaul's Drag Race* e perder o foco novamente. Dentre as músicas novas que ouvi, descobri que amo o disco de *jazz*, da Lady Gaga, e o álbum *Joanne*!

Eu percorri um lindo e intenso caminho desde que decidi fazer este livro. Ansiosa que sou, isso não é mais segredo para ninguém. Afinal, este projeto é mais do que a realização profissional e o reconhecimento de tudo o que construí até hoje, ele também se trata de conseguir levar para mais gente meu trabalho na internet. Então, por causa disso tudo, senti que havia em mim uma responsabilidade e uma vontade de fazer bonito, de dar um show e, de alguma forma, conseguir desconstruir verdades absolutas colocadas há tanto tempo na cabeça das mulheres.

Esta sociedade machista e maldosa não costuma perdoar quando o assunto é a mulher e a sua liberdade. Por isso, a concepção deste livro se tornou algo tão essencial para mim! Escrevê-lo passou a ser a minha missão e o meu modo de bater de frente com a sociedade.

Muito do que vai ler aqui talvez nunca tenha sido percebido ou questionado por você. Perceber essas nuances poderá causar um certo desconforto e, até mesmo, uma vontade maior de descobrir mais sobre o que é o feminismo e a luta das mulheres. Para isso, vamos juntas, página a página, abandonar julgamentos que recaem sobre nós e encontrar caminhos para ganhar mais liberdade e autonomia como pessoas e, mais do que isso, como mulheres!

Portanto, peço que leia com atenção o conteúdo que preparei com tanto carinho para você. Estamos juntas nesse mundo e nessa luta, e quanto mais unidas estivermos, mais espaço conquistaremos no mundo!

E como disse a rainha Aretha Franklin, tudo o que precisamos e exigimos é R E S P E I T O.

RESPEITO
RESPEITO
RESPEITO
RESPEITO
RESPEITO
RESPEITO
RESPEITO

1
VOCÊ É FODA, QUERIDA!

"**Mas é assim que se começa o primeiro capítulo de um livro?** Com este palavreado?" Pois bem, um aviso pra quem está de fato pensando isso: a palavra foda vai muito além do significado sujo e sexual. Ela foi "promovida" a adjetivo e pode significar coisas boas ou ruins. Eu quis começar colocando essa palavra em uso porque no alto dos meus 12 anos de idade, na pré-adolescência, eu usei ela para indicar que algo era incrível e essa vez ficou marcada na minha memória como uma das primeiras vezes (senão a primeira) que fui repreendida com a frase "Isso não é coisa de mulher! Mulher não pode falar palavrão!".

Se você não questionou o uso dessa palavra, quer dizer que já estamos na mesma sintonia! Levando em consideração que eu quero usar o significado bom dessa palavra, eu quero que você reflita alguns segundos e me responda: Quantas pessoas você considera foda? Pare e pense! Pode ser artista, gente viva ou gente morta, famoso ou anônimo. Mentalize alguém bem incrível que foi ou ainda é indispensável em sua vida. Se quiser, pode até fazer uma lista com as 5 pessoas mais fodas:

1. _____
2. _____
3. _____
4. _____
5. _____

Agora, responda: Você se incluiu nessa lista? Se a resposta foi "sim", parabéns! Se foi "não", por quê?

Mesmo tendo a possibilidade de eu não te conhecer, posso enumerar uma série de evidências de que você é uma pessoa foda! Primeiro de tudo, é uma sobrevivente! – Já pode ler cantando mentalmente a música das Destiny's Child, "Survivor", beleza? – A gente vive num mundo que se parece muito com uma selva: cheio de perigo, competição, concorrência. Além disso, o tempo todo é preciso lidar com alguém querendo ser o rei do planeta, e falando para você que você não é capaz de ter um lugar legal nessa selva. Porém, mesmo com tudo isso, você conseguiu sobreviver! Nenhuma dessas coisas te atingiu e, se atingiu, você resistiu! Arrasou!

Vamos fazer assim: mostrei o primeiro motivo para se considerar foda, ok? Mas, os próximos, escreva ou pense você mesma, pois certamente eles aparecerão, se não agora, depois de ler as páginas a seguir. Então, explore mais este livro para entender mais aspectos em que é foda, beleza?

CHEGA DE PADRÕES!

Se você conhece quem sou eu fora deste livro, provavelmente é por causa do meu canal, né? Então, com certeza, já deve ter esbarrado em algum vídeo que fiz sobre padrões de beleza. Mas tudo bem se for nova ou novo por aqui e esta é a sua primeira vez pensando sobre isso. Vou contar um pouco sobre o que falei por lá.

A verdade é que odeio padrões! Qualquer tipo de padrão. Para mim, não existe nada mais bizarro do que querer padronizar as coisas, em especial as pessoas. Penso o quanto é limitador enxergar o mundo todinho padronizado, além de ser chato. Não existe molde no qual todo mundo caiba ou se enquadre igualmente. No entanto, o padrão pretende ter este papel, ser o mesmo molde para todas. Já reparou no quanto isso exclui e delimita as possibilidades na vida das pessoas? Segue comigo que vou mostrar um pouquinho dos motivos pelos quais detesto os padrões do mundo.

O padrão é algo que se aproxima da ideia de sermos construídos sob formas ou medidas preestabelecidas. Uma grande "forma de bolo" na qual a gente tem de se esforçar para caber. Sinceramente, não faz o mínimo de sentido. É como se tudo o que nos torna únicas fosse considerado defeito e, sendo visto assim, acabamos nos odiando e tentando nos encaixar no padrão.

Quantas vezes você já se olhou no espelho e não procurou por defeitos? Mas por que existem tantos padrões? Por que precisamos segui-los?

Se tratarmos da questão comercial, é muito mais fácil manter uma padronização, para que a produção em larga escala seja possível, ou seja, faz-se muito mais produtos com menos investimento. Por exemplo, se compararmos o valor da produção de mil peças de calças jeans exatamente com as mesmas medidas em vista da produção de mil peças que variassem de acordo com o biotipo das pessoas, qual deles sairia mais caro?

Claro que ficaria muito caro, levaria mais tempo e seria preciso investir bastante para produzir peças diferentes umas das outras. Por causa disso, na lógica do mundo em que vivemos, em que o mercado dá prioridade ao lucro, não vale a pena pensar em pessoas diferentes e, assim, nasce um dos motivos para existir padrão na moda. **Ou seja, danem-se os corpos diferentes.**

Dessa maneira, a moda conseguiu liquidar dois problemas de uma só vez, pois enquanto se economiza na produção, a marca também consegue selecionar as pessoas que vão se encaixar em suas peças. Isto é, o padrão também dita a moda.

Em épocas em que a moda prega que bonito é ter um quadril pequeno, as roupas passam a ser produzidas com o intuito de destacar essa parte do corpo e, portanto, as peças são mais justas no quadril e, consequentemente, as pessoas com este formato de corpo vão ficar mais *cool* nessas peças durante essa tendência. O mesmo acontece quando a moda é o quadril largo, e as roupas ficam mais apertadas na região da cintura, para evidenciar mais essa parte do corpo da mulher. Tudo passa a ser feito para destacar ou, então, criar a impressão de um quadril largo entre as pessoas que não o têm.

O que acontece em seguida? Ora, a mulher começa a desejar um corpo diferente daquele que ela tem. As mulheres que têm o quadril largo comemoram e as que não têm passam a fazer tudo para ter o corpo como a moda deseja, e como a moda decide. Isso está certo? É saudável? A resposta é não, claro que não! Mas, então, por que nos prendemos tanto aos padrões?

O padrão é uma questão de lucro, mas também se trata da exclusão de grande parte das pessoas do mundo da moda. Não é à toa que o padrão de beleza criado na televisão, em revistas e na internet, seja todo baseado em padrões de corpos europeus cujas mulheres são magras, com pernas longas, olhos claros e cabelos lisos e claros. E isso não é à toa! Porque é justamente na Europa que a moda nasceu! E até hoje os polos de moda como Londres, Milão e Paris ditam as regras do que é chique, elegante e bonito.

Estamos em uma época na qual muitas vezes desejamos mudar nossos corpos porque queremos usar determinadas roupas e, para isso, é necessário ter um corpo que se encaixe nessas formas. Então, por causa disso, as mulheres pequenas precisam comprar roupas infantis ou ajustar as maiores, e as mulheres gordas precisam comprar roupas largas, escuras, capazes de esconder o fato de serem muito diferentes dos padrões.

Ao saber de tudo isso, conseguimos entender os motivos da insatisfação com nosso corpo, nossa imagem, nosso biotipo, nossa cor de olhos, nossa cor de cabelo. Mas, se engana quem acha que a mulher magra, loira e de olhos claros não sofre com os padrões de beleza. É claro que elas sofrem muito menos, sim – mas isso não significa que estejam protegidas.

Afinal, atualmente, o padrão de beleza baseia-se em fotos manipuladas, cheias de filtros, desde a cor dos olhos até os dedos dos pés, uma montagem de partes em que quase nada da pessoa fotografada se mantém. Apagam-se os poros, as rugas, o *frizz* no cabelo, as espinhas, as celulites, ou seja, sem problemas ou "defeitos", mas principalmente sem nada que há em uma pessoa real.

Portanto, vale lembrar-se sempre de que o padrão de beleza é algo comercial, e que não existe mais bonita ou mais feia, existe DIFERENTE! Somos lindamente diferentes! Nossas diferenças nos fazem ser nós mesmas. Não mude nada para satisfazer um padrão ou ser bem falada entre outras pessoas. Se for mudar que seja por você!

NUNCA MUDE PELOS OUTROS!

Mas o que fazer se não consigo me vestir como quero?

Ainda bem e graças a Deusa e a todas as mulheres fodas e empreendedoras desse mundo todinho, há uma luta contra os padrões e estamos (re)criando nosso senso estético. Hoje, é possível encontrar moda para todas nós. Ainda é preciso melhorar? Sim. Porém, existe um caminho sendo trilhado e é importante comemorar e valorizar essas pequenas vitórias de quem está na frente da batalha para derrotar os padrões. A mudança acontece por meio da ousadia, ou seja, se ninguém der o primeiro passo, nada muda.

Em mercados internacionais podemos ver linhas com tamanhos *petit* (bem pequeno, em português) e *plus size* (maior, em português) na maioria das marcas, o que torna possível as mulheres que vestem 32 e outras 60 usarem exatamente o mesmo modelo de roupa. No entanto, essas mulheres somente foram atendidas porque reclamaram e questionaram os padrões.

Como nem todo mundo tem acesso a lojas de roupas internacionais, um jeito é procurar na internet. Garanto com toda certeza que você vai encontrar alguma coisa, e até vir a apoiar alguma marca pequena, cujas numerações são amplas, a se desenvolver para se tornar – *quem sabe?* – uma marca foda e grande!

Chamar atenção dos olhos do mercado?

O grande problema que as pessoas fora do padrão, normalmente, enfrentam são piadas, e com isso, acabam marginalizadas. Então, sentem-se invisíveis e deixam de falar e reivindicar suas causas. Há também as pessoas que pensam criar incômodo quando precisam de atenção, ou, pior, acreditam que não têm o direito de reclamar porque não são "normais".

Mas, calma: como não são "normais"? Antes de baixar a cabeça para aceitar algo, lembre-se de que você é um ser humano, tem uma vida como a de qualquer pessoa, enfim, tem direitos! Seja para questionar acerca de salário ou reclamar porque uma loja não tem seu tamanho de roupa – ou que os diminuiu.

Você não é obrigada a nada!

A todo momento, independente se seu corpo está ou não nos padrões, a mulher quase sempre é silenciada.

Se não for totalmente, possivelmente ela terá a sua voz bem reduzida, ou seja, com pouca visibilidade. Dessa maneira, fica muito mais difícil mostrar a inteligência e capacidade que as mulheres têm.

Isso acontece, primeiro porque muitas vezes nem nos é dada a chance de mostrar qualquer conhecimento. Pode até ser que você não se lembre – *ou não tenha dado muita importância* –, mas a verdade é que basta ser mulher para sofrer algum constrangimento no que se refere à falsa diferenciação entre o homem (sabe-tudo) e a mulher (não tem capacidade) construída há anos. Possivelmente essa "fama" de sabe-tudo do homem e da ignorância da mulher vem do fato de que durante séculos as mulheres foram proibidas de estudar e trabalhar. Obviamente os homens por frequentarem escolas e universidades eram vistos como mais inteligentes. Mas vale sempre reforçar que a educação formal não é sinonimo de inteligencia. Tudo é muito mais uma questão de privilégios, e não de gênero! Mas vamos falar sobre isso mais pra frente.

Atualmente, esse *atrevimento machista* infundado já tem alguns nomes. O lado bom de falar sobre isso é que basta um pouquinho mais de atenção para poder identificá-lo e combatê-lo. Porém, o lado ruim é que o assunto está tão sério que há várias formas de redução da mulher. Conheça algumas delas a seguir:

Mansplaining

Ocorre quando um homem comenta ou explica algo a uma mulher de maneira condescendente, excessivamente confiante e, muitas vezes, imprecisa ou simplista, ao presumir que ela não entenda sobre o assunto. Em outras palavras, o famoso sem noção, que pensa que as mulheres, pelo simples fato de serem mulheres, sabem menos do que os homens. Isso pode acontecer com assuntos que são vistos como de domínio exclusivamente masculino, como o futebol, até assuntos como menstruação!

Manterrupting

A palavra de língua inglesa se refere aos homens que interrompem uma mulher quando ela está começando a falar, impossibilitando-a de elaborar ou concluir um pensamento. Pode acontecer em casos no qual a mulher ocupa uma posição mais alta do que um homem, e ele sente a necessidade de se autoafirmar, ou até mesmo em relações sem hierarquia.

Gaslighting

O uso dessa palavra inglesa se refere a um tipo de abuso psicológico praticado pelo homem. Essa forma de machismo é bem mais grave e pode fazer bastante mal para a mulher. A conduta consiste em distorcer o que uma mulher disse, ao conduzi-la a acreditar que se enganou ou esqueceu de acontecimentos que relatou. É a arma do embuste, do relacionamento abusivo etc.

Bropriating

Esse é feio. Bem feio! A palavra de língua inglesa se refere aos homens que, simplesmente, se apropriam da ideia ou da fala de uma mulher. Com frequência, essa atitude é vista, geralmente, nos ambientes corporativos durante reuniões nas quais mulheres apresentam ideias brilhantes e são interrompidas por homens (manterrupting) que repetem, por vezes mudando uma coisa ou outra, exatamente o que foi apresentado por elas. Agora, adivinha quem fica com os créditos pela ideia? Ganhou um doce quem respondeu o homem.

Mana, saiba que não está sozinha. Se for vítima de algumas situações iguais a essas que foram descritas, não fique calada. Caso não seja possível se posicionar no momento, procure alguém com quem possa conversar em seguida. Essa atitude pode até não mudar o mundo todo de uma vez, mas vai melhorá-lo com certeza!

Além dessas questões, infelizmente, a situação das mulheres pode ser pior, visto que ainda podem tentar invalidar sua inteligência por meio da aparência: "Nossa, ela é bonita demais pra saber disso!" ou então "Ela é muito inteligente, mas é muito relaxada. Nunca vai encontrar uma empresa que queira uma mulher tão zuada...".

Ou seja, nunca está bom! Você por acaso já ouviu coisa parecida sobre homem? Na TV e no cinema essa diferença é muito mais visível! Jornalistas, atores, atrizes, a aparência da mulher é sempre uma prioridade e nos homens o foco é apenas no seu trabalho.

Por que mulher não pode ser inteligente e bonita ao mesmo tempo? Ou melhor, por que a mulher PRECISA ser bonita? Por que ser apenas inteligente não basta em um trabalho? Por que a mulher tem sempre que deixar de ser alguma coisa para ser outra?

Para combater esses estereótipos sobre as mulheres, a palavra básica é: OCUPAÇÃO! É preciso lutar para ocupar espaços em empresas, em cargos, e no mundo. Para isso, a união é essencial no compartilhamento de informações sobre a desigualdade de gênero e a necessidade de haver um movimento a fim de expor esses problemas, seja por meio de divulgação, conversa uma a uma, incentivo mútuo e de ocupação!

Todo esse esforço é necessário, pois os problemas pelos quais as mulheres passam é um assunto muito urgente, afinal as diferenças entre homens e mulheres são muito alarmantes em vários aspectos. Na questão salarial, você sabia que as mulheres brancas recebem em média 20,5% a menos[1] que homens brancos ao exercerem a mesma função? E que para as mulheres negras essa diferença pode chegar até 43%? Além disso, se as mulheres se mantiverem desta maneira, levarão mais de cem anos para alcançar igualdade salarial? *Você consegue esperar cem anos? Eu não!* Isso não faz o menor sentido!

Nós estamos cansadas das coisas às quais somos submetidas. Quando é mulher deve-se ganhar menos, se é bonita deve ser burra e se é inteligente deve ser feia. E quando a mulher é gorda, então? É vista como feia e desleixada. Mas, ao contrário do que querem convencer as mulheres, gorda em nenhum lugar do mundo, em qualquer língua que exista, é sinônimo de feia e, muito menos, de desleixada. Do mesmo modo que magra não é sinônimo de bonita, que também não é sinônimo de desleixada. Magra e gorda são apenas características físicas opostas, e não representam o quanto uma mulher se cuida ou não. Bonita e feia, são apenas palavras que se referem a gostos pessoais. Portanto, nenhuma delas deveriam ser usadas para qualificar a inteligência (ou a falta dela) de uma pessoa. Precisamos parar com essas determinações!

Já percebeu que em muitas obras de entretenimento, como televisão, teatro, cinema e literatura, a maioria das mulheres é boa, ruim, bonita, feia, magra, gorda, mas

---

[1] Dados retirados do estudo do IBGE 2019.

raramente é INTELIGENTE? Já reparou também como as mulheres são estimuladas a não cuidar da inteligência? A começar por quando crianças, em que as brincadeiras dirigidas às meninas não envolvem noções espaciais ou construções, como acontece com as brincadeiras oferecidas aos meninos. Mas, ao contrário disso, as brincadeiras destinadas às meninas, em geral, inserem as crianças em um mundo cor-de-rosa, fofo e cheio de *glitter*, e quase sempre voltado à maternidade, aos cuidados com o corpo e às atividades domésticas. Oi? Por quê?

Já na pré-adolescência, as meninas são alertadas a tomar cuidado com os meninos, não é seguro se envolver com eles. Deve-se tomar cuidado também com a roupa porque o corpo está em desenvolvimento. Ainda nessa fase, as meninas são introduzidas aos procedimentos da beleza, como a maquiagem, o trato com os cabelos, e a depilação – *como se o mundo não pudesse lidar com a puberdade da menina, e que, portanto, todas devessem permanecer crianças para sempre, porém com os peitos e bunda desenvolvidos*. Então, começam os julgamentos acerca da aparência, em especial as reclamações de desleixo – *simplesmente por não estar maquiada, pois se aprende que o natural e cru é sinônimo de desleixo*. Você vê essas cobranças acontecerem com os meninos?

Ao chegar na juventude, junto com as cobranças sociais para fazer uma faculdade e trabalhar, a mulher tem de lidar também com a pressão de ter um relacionamento e de ter um corpo igual ao das mulheres de revistas – e acreditamos que podemos alcançar isso e que todo esforço é válido. Sem falar que nessa fase colocamos em prática todos os rituais de "beleza" – *que eu prefiro chamar de rituais de padronização* – assimilados na adolescência, ao cuidar de cabelos, unhas, depilação e pele!

Quando adultas, as cobranças envolvem sexualidade, relacionamento, filhos (quem não tem é cobrada para ter, quem já teve é julgada por isso). E é nessa parte da vida que a galera começa a falar sobre ser bem-sucedida no seu emprego – *lembrando que se é bem-sucedida, possivelmente pode ser acusada de ter dormido com o chefe!*

Em nenhum momento a sociedade deixa a mulher ser livre para ser NATURAL, para fazer o que quiser, para brincar de acordo com sua vontade, ou para gastar o dinheiro com o que acha melhor!

Somos cruéis demais, nos cobramos demais e nos permitimos de menos

Por causa disso tudo, um dia, resolvi me analisar. Parei para ver o esforço que fiz na vida para ser magra: pesquisas, dietas, horas na academia, mas nunca estava bom. Foram altas doses de estresse e ansiedade, sem falar nos remédios (termogênicos e inibidores de apetite) que causaram em mim uma dependência de anos. Então, perdi minha saúde porque buscava elogios ao meu corpo – *que sempre foi lindo* –, mas não era igual aos corpos que estavam na mídia. Eu não estava atrás de saúde, eu estava atrás de APROVAÇÃO!

Assim, com tanta coisa para eu me dedicar, os estudos deixaram de ser minha prioridade em muitos momentos da minha vida. *Imagine se tivessem sido!* Mas como eu poderia preservar minha saúde e estudos se o que era valorizado e cobrado em mim era apenas o fato de ser magra e bonita?

Porém, ainda com toda essa pressão, parece que existe um impulso das mulheres em querer estudar. O reflexo disso é tão nítido que fez as mulheres passarem a ser mais instruídas que os homens no mercado de trabalho. Segundo o INEP, as mulheres representam 57,2% dos estudantes matriculados nas universidades brasileiras.

Contudo, não sai da minha cabeça o motivo pelo qual essa conta não fecha. Se são mais instruídas, por que então o mundo continua pagando um salário às mulheres brancas 20,5% menor em relação aos homens brancos que ocupam as mesmas funções delas. Por quê? A resposta é simples: homens no comando.

Durante muito tempo a mulher foi proibida de trabalhar. A mão de obra feminina somente foi aceita a partir da Revolução Industrial, quando as vagas de emprego eram abundantes e precisavam ser preenchidas sem cessar a produção e mantendo a expansão do lucro. Nessa época, a indústria se apoiava na ideia de que o trabalho enobrece o homem, e por isso as mulheres puderam conquistar os postos de trabalho.

Na Segunda Guerra Mundial, algo parecido aconteceu. Os homens foram chamados para compor o exército e, consequentemente, tiveram de deixar seus postos de trabalho e partir para a guerra. Então, foi preciso recrutar novamente as mulheres a fim de ocuparem os cargos desses trabalhadores, pois a economia não podia parar. Assim, em resumo, a mulher chegou a um lugar comum: o mercado de trabalho, que antes era dominado por homens desde os donos até os colegas de trabalho.

As mulheres, por não dominarem tal ofício, deviam errar coisas, e esse sentimento de não fazer seu trabalho direito deixaram grandes sequelas. Ora, se a escravidão deixou rastros até hoje – *lembra que as mulheres negras podem chegar a ganhar 43% menos que um homem branco na mesma profissão?* – obviamente esse período da história também deixaria. As consequências vão desde o assédio e o machismo no trabalho até a visão de que existem áreas profissionais que deveriam ser exclusivas do homem, como: treinadora de futebol, engenheira, bombeira, delegada, mecânica. Esses exemplos são só o começo da lista!

E por que é sempre tão difícil ocupar nessas áreas? Porque desde a universidade as mulheres que estudam essas áreas são alvo de machismo e de muito assédio. Ou melhor, desde crianças, nós somos inundadas por comentários que separam o mundo em duas partes: de menina e de menino. Então, obviamente, quando uma mulher ousa – *ainda precisamos usar essa palavra* – entrar no mundo do homem, seja por meio do futebol, da engenharia, dos esportes de luta, de cargos importantes em multinacionais, é tratada como burra ou incapaz. E, é claro, esses obstáculos desestimulam a estudante, sem falar que esses ambientes são repletos de *mansplanning, manterrupting* e *bropriating*. Ninguém quer estar num lugar onde sequer é bem-vinda.

Você pode ajudar a mudar as coisas!

Imagine quantos problemas de autoestima poderiam ser evitados se todas as meninas fossem vistas além da beleza que têm. Imagine quantos problemas de autoestima teríamos evitado se as meninas fossem elogiadas por outras qualidades, não somente as baseadas na beleza? E se, desde crianças, explicassem para as crianças que não existe um padrão? Imagine se nas revistas e na televisão existissem mulheres com diversidade de corpos, etnias, estilos etc.? Ou ainda, se fossem mostradas mulheres bem-sucedidas, donas de empresas e empresárias? Se desde pequenas as meninas vissem mulheres sendo parabenizadas pelo seu profissionalismo e não mais somente pela aparência? Ou se não existissem mulheres pouco valorizadas por não serem "bonitas" o suficiente?

Se as coisas fossem diferentes, com certeza muito mais mulheres seriam bem-sucedidas e mais seguras de si, ao fazer o que bem entendessem com o corpo, com a profissão, com a vida, com os relacionamentos, com a maternidade, com sua feminilidade etc.

Mas, cuidado, não vamos distorcer as coisas que já estão bastante "coisadas". Já vi muitas vezes a sensualidade ser ligada ao empoderamento e à autoaceitação da mulher. Frases como: "Ache a mulher sensual que mora dentro de você" e "Sinta-se melhor estimulando sua sensualidade" são muito comuns em *coachings* e cursos.

Eu, por exemplo, não sou uma pessoa sensual, mas tentei por muito tempo, porque antigamente acreditava que era uma obrigação da mulher ser *sexy* e exalar apelo sexual.

Entendia que se não fosse *sexy* seria menos mulher ou teria menos espaço na sociedade. Muito da minha visão vinha da televisão, pois percebia um espaço maior destinado às mulheres *sexies*. A atriz protagonista da novela sempre era *sexy*, posava nua, aparecia com roupas sensuais publicamente. O mesmo ocorria com outras mulheres na televisão – nem mesmo as apresentadoras infantis escapavam disso.

Muito dessa onda que associa a autoaceitação à sensualidade vem do fato de que muitas mulheres fora do padrão nunca foram vistas como *sexies* ou sensuais. Então, quando começam a se amar, elas percebem que podem ocupar espaços em que apenas meninas "padrãozinhas" estavam. Entre esses papéis há a personagem da mulher *sexy* ou *femme fatale*.

Mas o que ninguém evidencia é que essa relação NÃO é obrigatória, ou seja, você pode se aceitar e se amar e continuar a não ser uma pessoa *sexy*. O que realmente leva à autoaceitação é a desconstrução de coisas com as quais crescemos acreditando serem verdadeiras e sólidas.

Infelizmente muitas meninas novinhas de 12 ou 13 anos acreditam nessa obrigatoriedade, que empoderamento e sensualidade são coisas juntas e codependentes. Por isso, quando entendem o amor-próprio ou iniciam o processo de autoaceitação, muitas vezes, começam a se expor em redes sociais com fotos de biquíni ou lingerie. Esse comportamento pode ser algo muito perigoso por 2 motivos:

1. Expõe o corpo de forma sexualizada (não tô falando de usar shorts no calor, não!) precipitadamente

sem entender a conotação sexual disso, atraindo olhares de pessoas mal-intencionadas.

2. O momento de autoaceitação, muitas vezes, está relacionado a um período de fragilidade, portanto, expor um corpo fora do padrão pode gerar comentários ruins e acabar de vez com a autoestima das meninas logo cedo. **Amar o seu corpo não significa que você é obrigada a expor o seu corpo!**

Ser feminina

Quantas vezes as mulheres já ouviram "fulana não é feminina"? Mas o que é ser feminina? Várias pesquisas mostram – *de tantas que existem, é até difícil escolher uma só* – que para uma mulher ser feminina, ela precisa usar maquiagem, salto alto, saia e estar sempre depilada.

Então, será que essa feminilidade da revista é uma coisa natural das mulheres ou será que é algo social? Será que se uma mulher nascesse e fosse criada em uma ilha isolada das influências do mundo externo, sem referências de mulheres na televisão, nas revistas e nas ruas, iria desenvolver essa feminilidade? Será que em determinado momento da vida, ela iria procurar uma forma de pintar seu rosto ou procuraria uma maneira de retirar seus pelos ou, então, tentaria colorir as unhas? Não, né?

Diante dessas questões, é possível perceber que a feminilidade tão exigida pelo mundo é, na verdade, uma construção social. Por muitos anos as mulheres deveriam ser apenas bonitas, pois como não trabalhavam, sua função principal era casar para cuidar da casa e do marido e embelezar o lar. Então, os homens começaram a apresentar preferências por determinadas mulheres, o que foi um ótimo motivo para o mercado lucrar explorando maneiras de fazer qualquer mulher ficar mais próxima de preferências masculinas.

A maquiagem, por exemplo, pode dar novas cores e novos formatos ao rosto, o salto alto faz as pernas das mulheres ganharem um torneado diferente e o bumbum ficar empinado, para que a mulher pareça "mais nova", já que uma mulher mais velha apresenta indícios de flacidez. Com base nesses artifícios, as mulheres viram como isso poderia ser uma baita oportunidade para ter chances melhores de se casar, ou seja, para mudar de vida. A única maneira de crescer na vida, em muitos momentos da história, era casar com um "bom partido", no entanto os homens mais ricos escolhiam as mulheres "mais atraentes".

Até hoje, vemos os frutos dessa construção, desde piadas como "mulher gosta de dinheiro, quem gosta de homem é gay", passando pela imposição de que a mulher precisa casar com um homem rico, além de haver alguns casais formados por homens ricos e velhos com meninas novas que querem crescer na vida.

Enfim, ao entender que ser feminina é uma construção social, deve-se considerar que se maquiar e usar coisas que podem trazer algum desconforto é apenas uma **opção** da mulher, não sinônimo de desleixo ou cuidado.

É preciso desconstruir essas regras para evoluirmos como mulheres. É possível, sim, talvez não agora, mas com certeza no futuro, ser o que quiser ser, mas, para isso, precisamos mudar de postura, de resposta à sociedade que tanto oprime e força as mulheres a seguir padrões.

Entendendo que fomos soterradas desde pequenas com tantos estereótipos, obrigações, encanações e besteiras, volto à pergunta: você é foda por quê?

Entender o que o mundo fez com a gente é entender quem realmente somos! Vamos ser mais justas e amáveis com o reflexo que aparece no espelho? **Você merece!**

② O MUNDO PARA A MULHER

Já vou começar este novo capítulo expondo que eu demorei muito tempo pra entender um termo que uso muito hoje: sexismo! Eu já tinha me deparado com situações que sentia uma desvantagem "natural" em relação aos homens, mas achava que era coisa da minha cabeça ou que as coisas eram assim mesmo desde que mundo é mundo! Olhando pra trás eu percebo que não me foi oferecido espaço nem incentivo para questionar se uma coisa era certa ou errada, injusta ou justa, aceitável ou inaceitável.

De qualquer maneira, ao descobrir o que é enxergar o mundo como um ambiente sexista, percebi que havia algo ao meu redor que precisava ser questionado e mudado. Eis que surgiu toda a minha razão de seguir com a minha profissão, com o canal e as redes sociais, e agora com este livro.

Ainda bem!

Mas, então, o que é sexismo?

Em uma busca rápida na internet, é possível encontrar no dicionário Houaiss uma definição assim: "atitude de discriminação fundamentada no sexo ‹falocracia, machismo, misandria, misoginia são modalidades de sexismo›". Pode afetar qualquer gênero, contudo é mais comum a mulheres e meninas, e gera situações em que o masculino se enxerga ou se sente naturalmente superior ao feminino, criando estereótipos e divisões de gêneros – "coisa de menino e coisa de menina". Resumindo, é o velho e conhecido mundo machista e sexista, que inferioriza a mulher desde menina.

QUE DELÍCIA, MIGA! JÁ PODE CASAR!
VOCÊ TOCA MUITO BEM PRA UMA MULHER!
AH, MAS TEM MULHER QUE PEDE!
TINHA QUE SER MULHER!!!
ALIENS OF CAMILA
@ALIENSOFCAMILA
@ALIENSOFCAMILA
AAAAAA
AAAA
AAAAA
A AAAAA
AAAA
AAA
AAA

O maior problema disso é que conseguimos definir uma situação sexista ou machista apenas quando temos certa idade e/ou um certo nível de conhecimento. Porém, não existe idade mínima para reproduzir frases que diminuem as pessoas pelo seu gênero ou orientação sexual. Por exemplo: se temos sementes de uma planta incrível e a água que rega estas sementes é impregnada de fertilizantes tóxicos, o resultado disso só poderia ser plantas cheias de toxinas. Assim também acontece com a mulher ao crescer em um mundo sexista, em que o machismo sequer é questionado. Ao contrário disso, muitas vezes, ele é encarado como brincadeira ou algo que não foi feito por mal. O sexismo e o machismo fazem parte desse fertilizante tóxico! Enquanto crianças somos todas e todos regados com expressões, frases, piadas, desculpas, respostas e até argumentos que inferiorizam a mulher. Assim, crescemos e evoluímos com muitas ideias sexistas, e não existe idade mínima para se comportar assim.

Quando se lê "lute como uma menina", provavelmente, entende-se que alguém vai lutar com fragilidade, delicadeza e até uma certa idiotice. Porque é assim que meninas são vistas! Quem disse isso? Todo mundo diz isso!

Se a resposta é "todo mundo diz isso!", pode-se garantir que há por trás dessa afirmação um preconceito extremamente enraizado, que foi assimilado pela maioria das pessoas desde crianças. Então, de tanto as expressões serem reafirmadas e naturalizadas, elas tornam-se uma verdade. Por isso, algumas pessoas levam mais tempo para entender o feminismo ou, mais do que isso, para questionar o machismo. Afinal a vida de todas as pessoas é baseada no machismo, no sexismo, desde sempre, e nunca foram negados, questionados ou relativizados.

Está vendo? É nessa hora que a gente fala:

NINGUÉM PERCEBEU ISSO AINDA?

#SomosTodosTODOMUNDO

Partindo da ideia de que determinadas expressões são verdades e pronto, é possível perceber como é mais fácil as pessoas não se incomodarem com uma frase preconceituosa e se sentirem muito contrariadas ao escutar uma frase afrontosa ou questionadora. Justamente porque as falas preconceituosas são endossadas por todo mundo que foi criado sob o machismo. Ou seja, pela maioria!

Uma pessoa que afronta tem a sagacidade de sair do "sempre foi assim" para o "ninguém percebeu isso ainda?" e tentar entender uma prática comum a todo mundo, para assim, poder fazer algo que TODO MUNDO disse para ela não fazer.

Você quer exemplos de mulheres afrontosas? Então, é exemplo que você vai ter!

Celina Guimarães Vianna
Primeira mulher a votar no Brasil.

Dandara do Palmares
Mulher importantíssima na historia da luta negra. Ela lutou muito pela liberdade total dos escravos no Brasil. Era esposa de Zumbi dos Palmares e também era mãe de 3 filhos.

Tarsila do Amaral
Artista plástica que revolucionou a pintura brasileira ao questionar a aristocracia de seu tempo.

Cláudia Celeste

Primeira mulher trans a estrear numa novela brasileira, em 1977. O público não sabia da transição de Cláudia, mas ela teve que deixar a novela no meio da trama por conta do Regime Militar, que não permitia que travestis e transexuais aparecessem na TV.

Maria da Penha

Farmacêutica brasileira que lutou para que seu agressor fosse condenado e virou nome da lei que pune violência doméstica.

Dilma Rousseff

Primeira presidenta do Brasil. Muitos países ainda não tiveram presidentas, e com isso nunca quebraram o "glass ceiling"[1] nesse tipo de cargo político.

Djamila Ribeiro

Filósofa, cientista e ativista política, luta pelos direitos da mulher e pela igualdade racial.

Malala Yousafzai

Mesmo morando em um país que limitava os estudos para mulheres, ela lutou desde muito nova pelos direitos humanos, pelo direito à educação e pelos direitos da mulher.

---

[1] "Glass ceiling", ou teto de vidro, é um termo usado para descrever a barreira social que impede minorias de subirem para níveis superiores da escada corporativa, independentemente de suas qualificações ou conquistas. O "topo" do glass ceiling seria justamente a posição de presidenta.

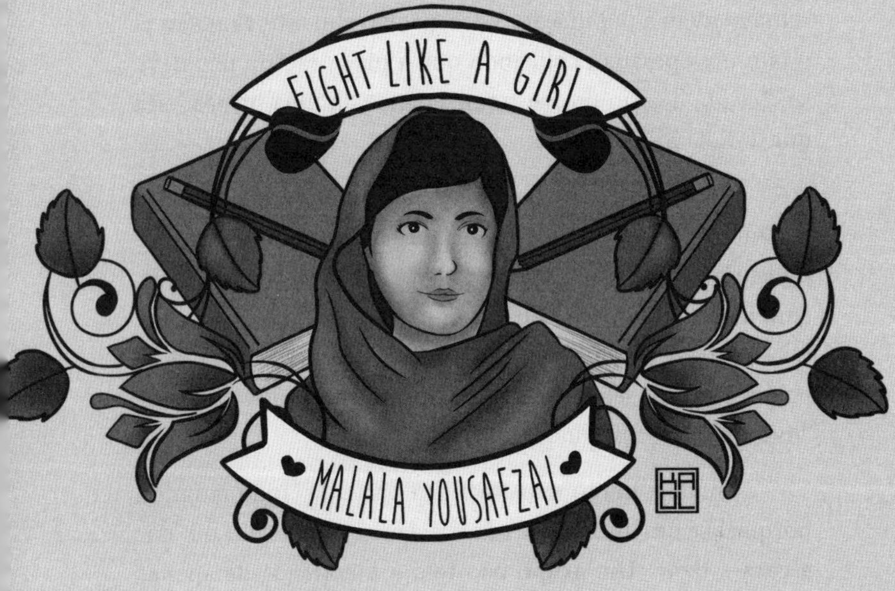
FIGHT LIKE A GIRL
MALALA YOUSAFZAI

A lista é imensa e não para por aqui! *Ainda bem!*

Essas *minas* não fazem parte do "todo mundo". Elas insistiram em seguir em frente, ao ocupar espaços que disseram não ser o lugar onde uma mulher deveria estar.

Outro grande problema – *ou seria a grande vantagem para quem se vale disso?* – é que o discurso do "todo mundo faz isso" abre a possibilidade de as pessoas se camuflarem em meio à população. Você, provavelmente, também já ouviu uma pessoa explicando que a piada racista não deve ser levada a sério por se tratar apenas de uma brincadeira que TODO MUNDO faz!

A lógica aqui é que, visto que "todo mundo" faz isso mesmo, a pessoa deixa de se enxergar como um indivíduo racista e passa a se ver como parte de um grupo grande, com ideias que são do senso comum. E, assim, a pessoa que foi racista se sente protegida de uma acusação e isenta de culpa. Não há responsabilidade como um indivíduo, pois "todo mundo" faz igual.

Então, é muito mais fácil ser parte de "todo mundo", porque lá é um lugar onde não é necessário se expor ou "dar a cara a tapa". Um grupo não tem a identidade de apenas um indivíduo, não há como percebê-lo sozinho e isso atribui força às ações, por causa da isenção da responsabilidade individual. Ou seja, suas frases não foram feitas por você, mas pelo grupo; você não se responsabiliza por nada sozinho, somente o grupo. Se você se ferra, todo mundo se ferra junto; e se você se dá bem, todo mundo comemora!

Quando você não faz parte deste "todo mundo", torna-se indivíduo, está sempre à mostra, sempre na linha de frente, é passível a ser identificado e punido por algo que fez.

Se pensarmos nessa lógica como em uma apresentação de dança, por exemplo, o indivíduo está na mesma posição da bailarina que fica na frente – mais próxima ao público – e "todo mundo" está representado pelo restante das bailarinas que estão mais atrás – mais longe do público. Se alguém no meio de "todo mundo" erra, o público ou não nota, ou perdoa. Porém, se alguém na frente erra, o público pode até perdoar, mas nota e pode reclamar da qualidade, xingar, fazer críticas e avaliações negativas sobre o espetáculo.

Entende, agora, o que é estar na linha de frente da batalha?

Eu gosto de dizer que há no mundo dois tipos de pessoas:

1. "Todo mundo"; e

2. O indivíduo, que lança a moda para "todo mundo" ou que questiona "todo mundo".

Quando você era criança, a qual grupo pertenceu? E hoje, a qual pertence?

A maioria das pessoas cresceu sendo "todo mundo", apesar de muitos quererem ser criados para serem o indivíduo. Porém, sendo a maioria das pessoas "todo mundo", a maioria se tornou adulta com fundamentos extremamente tóxicos e preconceituosos e, antes de atingir certa idade ou ter certas experiências, nunca se questiona o porquê desses comportamentos. Mas não se sinta culpada! **É sempre tempo de mudar e melhorar como pessoa.**

Para não ser parte de "todo mundo", que reafirma verdades absolutas machistas e sexistas, é preciso desconstruir! Todos são criados para ser "todo mundo", mas deveriam ser criados para serem indivíduos. Para deixar de ser "todo mundo", basta se valer de exercícios simples, como começar a questionar a sua fala, se colocar no lugar do outro (praticar a empatia) e parar e observar se o que é dito fere ou diminui alguém. Dá pra deixar de ser "todo mundo" questionando aquilo que todo mundo sempre fala, a brincadeira que "todo mundo" faz e suspeitando do "sempre foi assim".

QUESTÃO DE GÊNERO

"Esse lance de coisa de homem e coisa de mulher é besteira! Não tem mais disso hoje em dia!" Será? Muita gente acha isso, mas para provar que infelizmente essa questão de gênero não acabou da noite para o dia, vou pedir para você escolher cinco coisas atribuídas ao mundo da mulher. Pode escrever aqui, ou, se preferir, faça uma lista em sua cabeça:

1. _____
2. _____
3. _____
4. _____
5. _____

*Attention whore – mulher que faz de tudo para chamar a atenção de homens.

Possivelmente você navegou pelo mundo das maquiagens, salto alto, bolsas... Porque o mundo da mulher é sempre visto cheio de clichês e como algo fútil.

Por que um homem adulto e maduro pode gastar muito dinheiro com coleções de bonecos de filmes, que ganharam o nome de *action figures – para que eles não se sentissem ofendidos por estarem comprando bonecas como as meninas* – e isso é tratado como *hobby*? E, por outro lado, quando uma mulher gasta com bonecas, é vista como infantil? E, mais do que isso, quando gasta com maquiagens, é vista como fútil?

E não para por aí! O mundo é todo esquematizado dessa forma. Você, por exemplo, já deve ter visto o que acontece com casais que descobrem que serão pais de uma menina. Chega a ser engraçado – *se não fosse assustador, é claro* –, pois a vida deles começa a tomar um ar todo cor-de-rosa, como se definissem no momento em que a mulher engravidou e descobriu que o bebê era uma menina, que essa pessoa, que nem veio ao mundo ainda, vai ser fofinha, graciosa, gostar de florzinhas, coisinhas delicadas e brincar de boneca. Quem disse isso? Quem inventou essa regra?

Este comportamento não é besteira, não!

Afinal, basta parar e ver como algumas situações são recebidas pela gente, mesmo que de maneira inconsciente, de formas diferentes quando feitas por homem ou por mulher.

Veja alguns exemplos:

Em um relacionamento hétero monogâmico, quando o homem trai a mulher, ouvimos as seguintes coisas:
"Homem é assim mesmo!"; "Pensou com a cabeça de baixo!"; "Não fala nada para a mina dele.".

Quando a mulher trai o homem, a questão muda. "Que piranha!"; "Safada!"; "Merece apanhar!"; "O marido dela tem que saber."

Chefe homem que fala alto, grita e cobra muito dos seus funcionários é visto como um chefe exigente e linha dura.

Chefe mulher que fala alto, grita e cobra muito dos seus funcionários é vista como mandona, chata, malcomida e mal-amada.

Homem que coleciona "brinquedos de meninos" (carrinhos, aviõezinhos etc.) é um simples colecionador.

Mulher que coleciona "brinquedos de meninas" (bonecas etc.) é uma pessoa que não cresceu, não casou, e é frustrada por não ter um homem ou filhos.

Aliás, já perceberam que quando uma mulher não age como as pessoas esperam logo ela tem sua vida sexual questionada? É "mal-amada", "malcomida", piranha", como se um homem que cumpre seu "papel de homem" curasse todo o "mau comportamento" da mulher.

Eu queria dizer o contrário, mas infelizmente nós tratamos a mulher de maneira diferente da qual tratamos o homem. Para a mulher há muito mais rigor, regras e julgamentos. Isso acontece porque o mundo todo cresceu regado com aquela água cheia de fertilizante tóxico que não sai nem com detox!

Quero que puxe na memória alguma coisa que tenha feito – ou quis fazer –, mas foi repreendida por não ser "coisa de mulher". Caso você seja homem, pense também em algo que tenha tentado fazer, e foi impedido por se tratar de "coisa de mulher" – *e não pega bem um homem fazer coisa de mulher.*

Hoje em dia, a mesma situação ocorre com os casais que descobrem que serão pais de meninos. Ao saber disso, eles são tomados por um mundo azul, cheio de super-heróis, de aventuras, bichos selvagens, carrinhos, ferramentas, pois acreditam que os meninos nasceram para ser heróis e homens desbravadores.

Consegue perceber por que as coisas são injustas se vistas dessa forma? Como se pode definir e limitar os gostos de uma criança que ainda nem nasceu por julgar que as coisas são separadas em "de menino" e "de menina"? Quem definiu essas regras? Eu não tenho essa resposta, entretanto posso garantir que determinar a personalidade e os gostos de um bebê de acordo com o gênero é injusto, limitador e prepotente. Afinal, meninos podem (*devem*), sim, cuidar da casa, do mesmo modo que meninas podem (*devem*), sim, acreditar que são tão poderosas como os super-heróis. Todo mundo deveria ter a mesma chance de poder ser o que bem entender quando se é criança! **Esse é o meu ponto.**

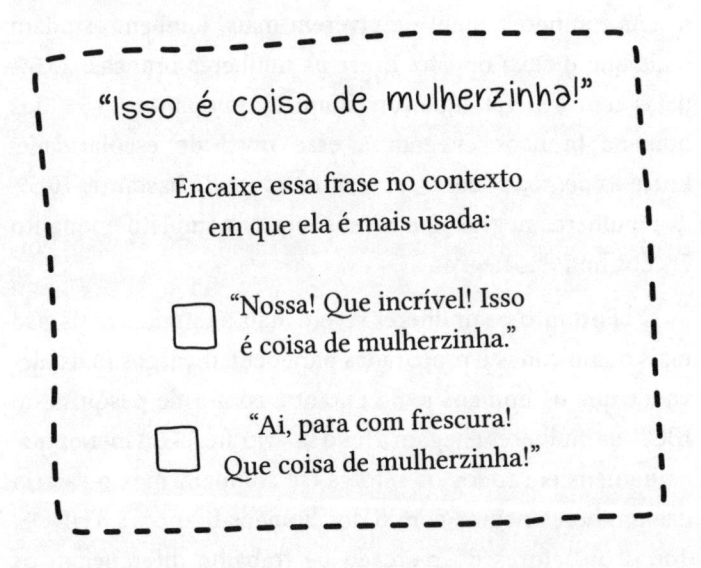

> "Isso é coisa de mulherzinha!"
>
> Encaixe essa frase no contexto em que ela é mais usada:
>
> ☐ "Nossa! Que incrível! Isso é coisa de mulherzinha."
>
> ☐ "Ai, para com frescura! Que coisa de mulherzinha!"

Não há motivos para usar "menina" ou "mulher" como comparativo de inferioridade. Aliás, há muitos motivos para dizer exatamente o contrário. A mulher, frequentemente colocada como um ser inferior e frágil, pode ser mais forte e mais resistente em muitos aspectos. E por mais que muitas pessoas queiram acreditar que eu estou dizendo isso somente por ser feminista e acreditar no poder das mulheres, você está enganado.

Além de mim, há muito mais gente que comprovou o quão equivocada é a expressão "a mulher é um sexo frágil". Para começar, segundo a pesquisa Estatísticas de gênero do IBGE, divulgada em junho de 2018, as mulheres brasileiras vivem cerca de sete anos a mais que os homens e, em algumas regiões do Brasil, a diferença chega a cerca de dez anos.

Outro dado que chama atenção é sobre a escolaridade. As mulheres, além de viverem mais, também estudam mais que o sexo oposto. Entre as mulheres brancas, 23,5% delas têm o nível superior completo, enquanto 20,5% dos homens brancos chegam a esse nível de escolaridade. Entre as pessoas negras, esse número muda bastante: 10,5% das mulheres negras têm nível superior completo enquanto 7% dos homens negros.

Portanto, as mulheres vivem mais e estudam mais, são mais qualificadas e preparadas para ocupar cargos mais elevados que os homens e, no entanto, conforme pesquisa do IBGE, as mulheres chegam a ter o salário até 55,6% menor que os homens em todos os setores (se compararmos o salario das mulheres negras com o dos homens brancos). TODOS. Todos os setores do mercado de trabalho diferenciam os salários entre homens e mulheres, e quem sempre sai perdendo, é claro, são as mulheres. Porém, o mais chocante é que há quem encontre justificativas malucas para isso, como o fato de a mulher engravidar e ficar seis meses de licença-maternidade, longe do trabalho. No entanto, não se trata de opção a mulher ter de se afastar do trabalho e o homem não, mas sim de uma questão biológica.

Outro ponto é que, se não bastassem esses discursos

para tentar justificar o salário menor, tanto no Brasil quanto em outros países, há cada vez menos mulheres em cargos de liderança. Quer ver? Em 2012, cerca de 40% dos cargos de liderança eram ocupados por mulheres, mas esse número caiu para 35% em 2019. A diferença chega a ser gritante e colabora com o discurso preconceituoso que diminui a imagem da mulher que ocupa altos cargos de liderança, uma vez que são comuns comentários como "aquela mulher não transa"; "é histérica demais"; "não sabe mandar sem gritar". Enquanto o homem líder ouve apenas elogios e frases motivacionais quando cobra demais e quando é autoritário com seus liderados.

Vale ressaltar aqui que essas desigualdades acontecem entre homens e mulheres CIS! As mulheres trans são extremamente marginalizadas, além de terem expectativa de vida de 35 anos de idade, poucas conseguem um emprego em um setor formal.

E tem mais! Além de todos esses aspectos, a mulher cis, segundo cientistas ingleses, no que diz respeito à resistência à dor, está longe de ser frágil e sensível, pois são menos sensíveis que os homens. Além de conseguirem enfrentar as dores do parto, também conseguem sobreviver às dores hormonais a que estão sujeitas todos os meses, a famosa cólica. Vale a pena informar que para menstruar basta ter um útero que esteja saudável e "operante". Sendo assim, alguns homens trans também podem menstruar enquanto mulheres trans não podem. Outro ponto que chama atenção nesses estudos é o fato de as mulheres criarem mais estratégias para enfrentar a dor e, por causa disso, ficam bem menos ansiosas em relação aos homens. Ou seja, nada de "mulherzinha" para a ciência.

Então, por que a sociedade insiste em manter esse termo com esse significado? Por que, de certo modo, as mulheres são conduzidas a crescerem como "mulherzinhas" e aceitarem o estereótipo do sexo frágil, mais fracas e menos favorecidas em quase todos os aspectos da vida? Porque todo mundo diz isso.

No entanto, embora todo mundo trate como normal o padrão "mulherzinha", é possível encontrar exemplos de mulheres que deram um basta a essa carapuça. Muitas delas se tornaram famosas exatamente por negarem esse papel na sociedade, mas, com certeza, deve haver bem próxima de você alguma mulher que negue essa classificação e talvez até sofra algum preconceito por causa disso.

Comece a leitura da lista a seguir e insira seu exemplo de mulher foda no topo desta lista. Em seguida, entenda por que é tão importante as mulheres ocuparem postos tidos como masculinos e negarem o rótulo "mulherzinha".

1. Insira aqui o nome da mulher que é sua referência de força e poder: _____

2. Luiza Trajano, executiva brasileira, dona de uma das maiores empresas de varejo do Brasil, empreendedora, líder e exemplo para muitos executivos mundo afora.

3. Marta, atacante da seleção brasileira de futebol feminino, tornou-se a maior artilheira da história das Copas do mundo de futebol feminino e masculino, além de ser eleita seis vezes a melhor jogadora do mundo.

4. Fernanda Montenegro, a maior dama do cinema nacional e a única brasileira a ser indicada ao Oscar de melhor atriz.

5. Leila Diniz, atriz brasileira conhecida por seu discurso sobre o amor livre em plena ditadura militar. Ela foi uma das primeiras mulheres a usar biquíni durante a gravidez e, assim, desmistificar a sexualidade da mulher.

6. Rachel O. Maia, contabilista e empresária brasileira, atualmente CEO da Lacoste no Brasil (uma das poucas CEOs negras no país). É fundadora do Projeto CAPACITA-ME, que leva educação e empregabilidade a pessoas na linha de vulnerabilidade social.

7. Laerte Coutinho, cartunista e chargista, Laerte tornou sua transexualidade pública aos 57 anos de idade.

Essas mulheres são pioneiras em tudo o que se dispuseram a fazer e, por isso, abriram caminho para que outras mulheres pudessem seguir em frente, ao questionar padrões e tomar decisões. Já imaginou, por exemplo, ainda hoje ser proibida ou malvista por usar biquíni na praia? Pois é, se não fosse por Leila Diniz – vista como estereótipo da "mulherzinha" sexo frágil – provavelmente você jamais (ou talvez demorasse um pouco mais de tempo) conseguiria usar esse traje tão comum nos dias atuais.

MULHERÃO DA PORRA

Se a palavra mulher no diminutivo é algo que as pessoas relacionam a um ser inferior, no aumentativo deveria trazer uma carga oposta, só pode ser vista com superioridade. Certo? Errado!

Afirmar que uma mulher é um "mulherão" ou uma "mulherona", na maioria das vezes, está relacionado à sexualidade, ao corpo, e ao *sex appeal*. Isso porque o fertilizante tóxico do machismo também exerce influência acerca da aparência física da mulher. Apenas é considerada um mulherão a mulher gostosona, malhada e que tiver um corpo sarado, ou seja, dentro dos padrões. Mas por quê?

Já ouviu falar em empatia seletiva? Então repare como essas mulheres, na maior parte do tempo, são bem recebidas numa conversa, no trabalho novo e, até mesmo, são acolhidas ou compreendidas melhor se algo de ruim acontecer a elas?

Só pelo fato de serem mais inseridas no padrão de beleza (e, assim, no gosto dos homens), essas mulheres se tornam mais dignas de empatia e aproximação. Mesmo assim, é impossível dizer que essas mulheres estão imunes ao sexismo. Quando falamos sobre esse assunto, logo surgem comentários dizendo que feminista é feia! Então, antes de continuar a tratar disso, pare aqui um minutinho, e leia este recado:

A CULPA NÃO É DA MULHER!

ESTE LIVRO NÃO TEM O OBJETIVO DE MANIFESTAR ÓDIO ÀS MENINAS DENTRO DOS PADRÕES!

Vamos fazer um teste de como a aparência da mulher virou um ponto indispensável para seu sucesso? Pense em 5 mulheres famosas da televisão e, em seguida, em 5 da internet.

Pensou? Eu tenho certeza de que pelo menos uma delas está atrelada à imagem de sensualidade e *sex appeal*, ou se apresenta de forma sensual em fotos e vídeos. Acertei?

Por mais que se tente evitar e lutar contra este pensamento preestabelecido, é inevitável, pois a questão estética está há muito tempo arraigada na cabeça das pessoas, que imaginar alguém famoso, enquadrado no padrão de beleza imposto pela mídia, chega a ser quase natural a todas nós.

É muito comum ter admiração por alguma mulher única e exclusivamente pelo corpo dela – *não que isso seja errado, mas pode ser tóxico* – a ponto de se sentir obrigada a ser como ela ou de criar uma rivalidade conto de fadas, no qual uma mina compete ou não gosta de outra porque acha a outra mais bonita ou mais padrão. E esse é um dos perigos: a aparência superar seu valor profissional e pessoal, por exemplo. É nessa hora que acontece a objetificação – *uma palavra grande para uma atitude de quem tem mente pequena!*

A mulher passa a ser vista como um objeto, um troféu, um adereço feito para embelezar um ambiente. *Esse tratamento afeta tantas áreas profissionais que acredito ser possível escrever um livro apenas sobre isso.*

No meu canal no YouTube, mostrei a diferença que há no resultado da busca de imagens, encontradas em um site de pesquisa, quando os termos são usados no feminino e no masculino. Para entender melhor, faça o teste. Entre no Google imagens e digite o termo "bombeiro", e confira qual será a seleção de imagens da pesquisa. Depois, também no Google imagens, busque por "bombeira". Após comparar os resultados você vai chegar a mesma conclusão que cheguei: todas as bombeiras estão vestindo roupas sensuais de *sex shop* e nenhum traje relacionado à profissão, enquanto os bombeiros são apenas homens com roupas de bombeiro.

Aliás, melhor do que isso, pesquise por "fantasia masculina" e, em seguida, "fantasia feminina". Os resultados são bem assustadores!

Agora, pense no mundo do entretenimento, da música, do cinema, da televisão. Em todas essas mídias, as mulheres que se sobressaem ou estão em alta por muito tempo são sexualizadas. Porém, em compensação, existe uma enorme quantidade de homens que não transparece *sex appeal*, mas estão em grandes cargos e posições no entretenimento. Consegue imaginar uma mulher gorda, sem maquiagem, que interrompe os convidados toda hora e que, às vezes, é grosseira com a produção do programa fazendo algum sucesso? Ou sendo a apresentadora mais bem paga por anos? Permanecendo com seu programa ativo por tanto tempo?

Se observar a internet, pelo menos, ao que tudo indica, a coisa parece mudar um pouco de figura, uma vez que parece ser um espaço para mulheres plurais. Isto é, tanto as mulheres que se encaixam no padrão de beleza imposto pela mídia, quanto aquelas fora desse padrão conseguem encontrar público para seguirem produzindo o conteúdo de que gostam. Na internet, as mulheres podem ter gostos diferentes, se vestir de diversas maneiras etc. Acredito que esse impacto da beleza como padrão estético ainda seja extremamente forte na vida de boa parte das mulheres. E posso contar que eu me encaixei nisso durante grande parte da minha vida.

Durante muitos anos, associei meu sucesso pessoal com meu corpo e com a minha imagem, porque achava que ia ser plenamente feliz e bem-sucedida apenas se alcançasse um corpo de uma celebridade da televisão. Acreditava ser possível ter tudo, mas também que nada valeria a pena se eu não fosse daquele jeito. Hoje em dia, eu penso de maneira muito diferente! Eu prezo muito mais pela minha saúde, sabedoria, inteligência, negócios, do que o que os outros pensam sobre o meu corpo. Além disso, prefiro que as pessoas conversem comigo porque sou legal, tenho um bom papo, carisma e não porque eu me encaixo em alguma fantasia ou porque a pessoa deseja algo sexual comigo.

Se olharmos de perto, vamos perceber que há uma grande contradição, afinal da mesma maneira que as pessoas abominam mulheres que "não se cuidam", há um julgamento daquelas que "se cuidam demais". No fim das contas, todo mundo fica tentando encontrar uma dosagem acerca do que a mulher tem de ser, o que faz com que muitas de nós fiquem correndo atrás da aprovação de pessoas que sequer conhecem, como os caras que mexem com as mulheres da rua.

A autoaceitação acontece quando você cansa de querer agradar os outros e começa a entender que quem tem de ser feliz é você. Mais do que isso, entender que a felicidade não está 100% relacionada à aparência! Nesse sentido, tem um exercício interessante para essa questão da aceitação. Imagine se fôssemos transparentes ou invisíveis, iria gostar do que você é? Quando alguém pergunta: "o que você mais gosta em si mesma?", o primeiro pensamento é em uma parte do corpo que seja o mais próximo dos padrões de beleza!

Pare um pouquinho e reflita sobre as as coisas que mais ama em você e que não são relacionadas à aparência, como inteligência, humor, empatia, simpatia, amor aos animais, solidariedade, facilidade em ensinar, facilidade em aprender etc. São tantas as características e as qualidades existentes que a aparência é apenas um item dessa lista.

Autoaceitação é ir além de olhar o espelho e falar se gosta ou não do que vê, é entender que você pode ser, sim, uma chefe, uma mulher com ambição e, por isso, aceitar a inteligência e capacidade de fazer o que escolheu. Muita gente vai chamar de soberba e de arrogante essa postura, mas não se incomode, pois lembre-se de que se fosse um homem mostrando inteligência, estaria sendo aclamado como bom de papo, um conhecedor de tudo.

Atualmente, a sociedade vive uma fase de reajuste e, por isso, a mulher tem de seguir ocupando espaços e questionando desigualdades. Ainda que muitas pessoas julguem e não aceitem este "novo" lugar exigido pela mulher, é preciso se manter erguida e sem se envergonhar ou esconder as características e os dons de cada uma! Porque, no fim, as mulheres estão cercadas por um bando de gente cuja ideia é de que são meros enfeites e muitas vezes ignoram as opiniões, a força de trabalho, e os mesmos objetivos desejados por elas.

"Como assim você quer ser levada a sério?"; "Como acha que pode escrever um livro?"; "Ou ser autônoma?" são algumas das frases que podem até ser ditas por um homem ou alguém que está reproduzindo um discurso supersexista ou pensa que mulheres não merecem ou não podem ocupar espaços. Porém, JAMAIS deve ouvir isso de si mesma! Aceite seus sonhos, desejos e ambições. *É desta autoaceitação que eu estou falando!*

CONVERSE COM SEUS SONHOS, DESEJOS E AMBIÇÕES

DE MULHER PARA MULHER?

Quer saber de um grande vilão da desconstrução? A palavra feminina! Sim, tudo o que você usa no feminino, os homens ficam com medo de se aproximar. Eles podem até ter uma curiosidade gigante, mas não se aproximam do que é feminino nem de nenhum espaço no qual haja uma mulher falando, emitindo opiniões e mostrando visões de mundo.

Enquanto isso, as mulheres que dominam, conhecem ou se interessam por assuntos considerados masculinos são mais "valorizadas" (obviamente depois de passar por um rigoroso teste de conhecimento sobre o assunto) em conversas e bate papos, pois é vista como uma pessoa que fala sobre tudo.

Por que o "falar sobre tudo" se encaixa apenas quando uma mulher está a par de assuntos "masculinos" e não quando um homem está a par de assuntos considerados femininos?

Você, mulher que gosta de homens, já imaginou no seu primeiro encontro falar de maquiagem com o seu *date*? Agora quantas de vocês já falaram de carro ou sobre seu time de futebol no primeiro encontro?

Desde pequenas somos incentivadas a conhecer melhor os homens para agradá-los, seja no sexo, na conversa, no trabalho etc. E para as coisas fazerem mais (ou seria menos?) sentido, precisamos mencionar como todo conto de fadas mostra a mulher feliz apenas ao se casar com o príncipe que a salvou de tudo o que há de ruim.

É exatamente nessa hora que as coisas começam a embolar! Pois se desde pequena a menina sonha com um príncipe encantado para casa e ser feliz pra sempre, com o que os meninos estão sonhando desde pequenos?

A distância entre meninos e meninas começa exatamente quando os meninos pequenos são incentivados a brincar apenas entre si – afinal a maioria das meninas não são aventureiras e cheias de energia como eles. A aversão a coisas de menina também vem junto nesse pacote. O primeiro interesse em se aproximar das meninas acontece quando o homem (que gosta de mulheres, claro) chega na puberdade. Porém como um adolescente que passou sua vida toda evitando e não se interessando por mulheres, vai conseguir conversar com ela?

Ele aqui não faz a mínima ideia de como as mulheres são, e tudo que está a volta do jovem adolescente são mulheres supersexualizadas (e muitas vezes tratadas como objetos) com roupas curtas na TV, no mundo da música e no mundo da pornografia.

Aqui ele cria uma imagem completamente distorcida do que é uma mulher. Então esse menino passa a sonhar com uma mulher que seja um mix de atriz pornô com a mãe, porque, sim, normalmente essas são as únicas referências femininas dignas de respeito de muitos homens. Então, ele se transforma em um homem que consome pornografia desde a adolescência e, sendo assim, assimila a pornografia como o jeito certo e saudável de se relacionar e fazer sexo – quando na verdade sabemos que aquilo é uma representação maluca da realidade que dificilmente dá prazer para a mulher.

Este homem é, geralmente, desde criança, superpaparicado pela mãe, com a comida, roupa lavada, cama arrumada todos os dias. Ou seja, quando a mulher procura alguém romântico e que esteja ao seu lado em qualquer situação de aperto ou perigo. A maioria dos homens procura uma mulher que cuide dele como uma criança – assim como a mãe dele fez a vida toda dele – e o satisfaça sexualmente sem exigir a satisfação dela como as mulheres da indústria de filmes adultos. Um dia essas pessoas se juntam e obviamente não vai dar certo.

Assim, em um relacionamento desses, ele se torna um homem que fala para você que é você que não é suficientemente boa pra ele! As mulheres têm as próprias vidas para guiar e os caminhos para traçar! Não temos tempo pra cuidar de adultos como se fossem crianças e muito menos para servir pessoas sexualmente.

No entanto, por que estas criaturas não consomem nada criado por mulheres? Seria por causa de uma masculinidade frágil? Medo de gostarem de coisas de mulher? Mais uma vez, o lance de inferioridade ao ter medo de gostar de algo que mulher gosta porque isso de certa forma torna os homens inferiores frente aos padrões masculinos, como se fossem menos homens se entrarem em contato com algo feito por mulheres.

Será que é tão difícil assim se manter heterossexual? Assistir a um vídeo de uma *mina* falando sobre sua visão da vida vai fazer com que um homem sinta atraído por outro homem? Oh meu Deus! Como deve ser difícil e desafiador!

E como eu já falei aqui, tudo que é feminino foi colocado numa caixinha com estereótipos. Se pensar na plataforma do YouTube, os vídeos classificados como conteúdo feminino são os que falam somente de beleza, cabelo, maquiagem, moda e maternidade. Portanto, todas as mulheres e meninas que fazem conteúdos diferentes desses, teoricamente, estariam invadindo um conteúdo masculino. Afinal, se existe essa separação de conteúdo feminino, significa que todo o resto do conteúdo é masculino?

Com uma simples busca no Google e no YouTube pela expressão "mulheres invadem" é possível encontrar os seguintes resultados:

- Mulheres invadem sertanejo.
- Mulheres invadem as academias de artes marciais.
- Mulheres invadem as áreas contábeis.
- Mulheres invadem o automobilismo.
- Mulheres invadem o futebol.

Só eu acho que invasão é uma palavra forte? *Eu e o dicionário também.* Confere os significados:

invasão

substantivo feminino

1. ato de penetrar (em local, espaço etc.), ocupando-o pela força.

1.1 migração acompanhada de violência e devastações <i. dos povos nômades>.

2. ato de alastrar-se e difundir-se maciça e rapidamente.

Se a palavra que escolhem ao aumentar o número de mulheres em determinada área ou nicho é invasão, isso significa que as pessoas não enxergavam tais lugares sendo acessíveis para mulheres. Então, surge uma reflexão sobre ninguém se referir ao sertanejo como sertanejo masculino, pois este espaço, assim como muitos outros, é entendido, ainda que inconscientemente, como masculino.

Porém, as mulheres não invadiram nada! Elas estão ocupando espaços comuns que deveriam ser de todas e todos!

"Parecer" mulher para ser mulher

Já parou para pensar o que faz uma mulher ser mulher? A roupa que usa? O salto com o qual anda? A maquiagem?

Se esses itens forem tirados, acha que deixaria de ser mulher? De pensar como pensa, e sentir o que sente?

A maioria das coisas que atualmente se julga como determinante para identificar se uma pessoa é mulher ou não foi atribuída às mulheres. Sapato, vestido, saia, maquiagem, cabelo longo, laço, cor-de-rosa: tudo isso são coisas tão pequenas para o grande lance que é ser mulher.

Eu, por exemplo, não uso salto alto e minha amiga não usa cabelo longo, e por isso somos menos mulheres? Eu sou menos mulher porque eu não gosto do desconforto de andar de salto?

Normalmente as pessoas que usam isso como argumento determinante pra uma mulher ser mulher, são as mesmas pessoas que falam que por mais que uma mulher trans faça uso dessas mesmas coisas - ela não será vista ou identificada como mulher.

E não adianta falar que isso é "se cuidar" porque se trata apenas de uma questão de aparência, que segue uma moda e é feita por alguém focado nas vendas. Então quer dizer que a maneira que eu me visto ou que eu "me cuido" tem a ver com moda e vendas? SIM!

As mulheres se depilam porque alguém determinou um dia que elas precisavam ser lisas como a porcelana. Agora, como explicar o que tem a ver arrancar os pelos da perna com se cuidar? Por acaso alguém afirma que os homens não se cuidam porque não arrancam os pelos das pernas? Não. Muito pelo contrário, depilação masculina é "coisa de viado" (alô, Lgbtfobia)! Então não tem relação nenhuma com cuidados!

Nesta sociedade, ser feminina nada mais é que fazer um conjunto de coisas predeterminadas por uma entidade a qual é desconhecida; regrinhas, normas chatas e completamente sem cabimento! Muitas coisas ditas femininas são feitas, quase exclusivamente, para agradar o gosto dos homens! Essas regras foram aumentando e mudando cada vez mais!

PERFORMAR ESSA FEMINILIDADE NÃO É DETERMINANTE PARA SER MULHER!

AÊ, UMA LÂMPADA! VAI QUE TEM UM GÊNIO...
@helodangeloarte
ESFREGA
ESFREGA
ESFREGA
@helodangeloarte
PUFFF
@helodangeloarte
VOCÊ TEM TRÊS DESEJOS... PENSE BE—
EU QUERO TER A AUTOESTIMA DE UM HOMEM CIS BRANCO HETERO MÉDIO !!!!

E quem pode dizer o que é ou não SER MULHER? Tem uma frase muito importante da Simone de Beauvoir que diz: "Não se nasce mulher, torna-se mulher". Isso quer dizer que essa construção acontece conforme crescemos e vamos aprendendo com nossa existência. Viver nos torna mulher – e mulheres diferentes, que bom!

Tudo isso que falamos faz cair por terra a expressão muito usada por homens que é "vou te fazer mulher" quando se referem a transar com uma mulher inexperiente. É ou não é uma autoestima surreal? Como alguns homens são capazes de acreditar que seu coito vai fazer uma menina virar mulher? Isso não cola.

3

GIRL POWER PARA QUEM?

Se você chegou até aqui, pode perceber um longo caminho e, muitas vezes, confuso até a desconstrução. Spoiler: esse caminho não tem uma linha de chegada! É muito louco se deparar com a reflexão sobre o porquê ninguém questionou certas coisas antes, principalmente ao ficar diante de situações que hoje são consideradas absurdas, mas que continuam aumentando. No entanto, o lado bom dessas situações é de poder ter certeza de que as coisas estão realmente caminhando para mudança, e para melhor. Apesar de ainda ser necessário muita luta, as mulheres conquistaram coisas importantíssimas.

É por causa dessa luta permanente que, neste capítulo, será discutido um pouco sobre o mercado de trabalho e o que isso significa na vida das mulheres. Para começar, é preciso lembrar que falar de mercado de trabalho para as mulheres em si é uma conquista, uma vez que não faz tanto tempo assim que esse ambiente tornou-se acessível a elas.

Até a chegada da Revolução Industrial, entre os séculos XVIII e o XIX – em que não importava a idade e o sexo da pessoa, todos trabalhavam enlouquecidamente, incluindo crianças, idosos e mulheres – a mulher se manteve afastada do mercado de trabalho por questões de gênero. Ou seja, bastava ter nascido mulher para ter o destino direcionado para ser mãe, dona de casa e esposa, como única opção de vida possível. Porém, com raríssimas exceções – algumas delas já apresentamos neste livro – a mulher sequer sonhava em conseguir mudar de situação e aceitava muito bem o papel e o destino que tinha na sociedade.

O casamento era, então, o único modo de a mulher conseguir sair da casa dos pais. Será que é por esse motivo que, ainda hoje, o casamento é tão valorizado na sociedade? Com certeza, sim, era um dos motivos. Para sair da casa dos pais, era preciso ter um marido que pudesse mantê-la financeiramente e, assim, engravidar, cuidar de todos os afazeres domésticos, além de ter de ser uma esposa amável e zelosa com o marido e com os filhos.

As mulheres dessa época consumiam, como devia ser, lógico, revistas de receitas culinárias, corte e costura, e com dicas de como ser cada vez mais uma esposa amável. Enquanto isso, os homens saíam em busca de trabalho que trouxesse para casa o que fosse necessário para manter a família viva. Isso não significava, necessariamente, que ele deveria ser fiel e respeitar a sua esposa. Ao contrário, tinha liberdade e aval da sociedade para dar as suas "escapadas" do casamento se quisesse se divertir, como se a sua esposa não fosse suficiente e, portanto, não houvesse maneira de oferecer momentos de lazer e amor ao homem. A função da mulher era apenas ser mãe, esposa e dona de casa.

Todo esse discurso e conduta masculina, claramente, tomaram conta do ideal e do imaginário do que deve ser a mulher. Também por esses motivos, é que nunca ninguém parou para questionar por que as coisas eram assim e não fez nada para mudar.

Somente no contexto da Primeira e da Segunda Guerra Mundial houve o começo de mudanças. Porém, se acha que isso se deu por causa de uma modernidade latente que ganhava força, está bastante enganada. O mercado de trabalho mudou pois, com a ausência dos homens em casa, alguém tinha de manter os negócios da família em funcionamento e para sustentar os filhos. Assim, as mulheres puderam se inserir no mercado de trabalho e, sem distinção alguma, passar a fazer o trabalho realizado, anteriormente, apenas pelos homens.

E, claro, os homens são eternamente gratos às mulheres por terem feito um esforço ao trabalhar para não perder o que eles haviam começado, certo? Errado. Desde que tomaram o mercado de trabalho, as mulheres enfrentam os mais pesados preconceitos, e quando são bem-sucedidas o sucesso muitas vezes é atribuído a sua forma física – *ou como dizem, gostosas* – ou a hipótese de que transaram com alguém em determinado momento da vida que lhes proporcionou este status. No entanto, se as mulheres não conseguem tal nível nas carreiras, provavelmente, é porque são feias ou incapazes de realizar determinado trabalho. Isto é, há sempre uma justificativa para explicar as vitórias e os fracassos com base na sexualização do corpo da mulher a fim de "maquiar" o machismo.

Apesar de haver, atualmente, inúmeras tentativas de fazer as mulheres deixarem o mercado de trabalho e retornarem ao papel de dona de casa, esposa e mãe, elas seguem resistindo com bravura. O resultado disso é que, ainda que o gênero que as oprime insista em piadas e em deixá-las ausentes das funções que escolheram, pode-se comemorar muitas vitórias. A conjuntura é diversificada e, por isso, abre possibilidades de se fazer longas listas de conquistas femininas no mercado de trabalho.

Hoje temos algumas conquistas que merecem ser celebradas, mas estamos longe de descansar. Há um abismo de desigualdade entre homens e mulheres, e até dentro do grupo de mulheres: mulheres negras, periféricas, trans... Enfim, temos muito trabalho pela frente!

Girl Power nosso de cada dia

Certo dia, em 1997, eu estava em casa assistindo à televisão, quando vi as Spice Girls pela primeira vez. Não dei tanta importância para elas na hora, mas comecei a perceber que aquelas meninas estavam em diversos programas.

Na época, a Xuxa estava fazendo um concurso para encontrar o melhor grupo cover de Spice Girls. Eu, que sempre amei a Xuxa, achei que aquela poderia ser a melhor maneira de conhecer o meu maior ídolo da infância! Então, precisava, urgentemente, descobrir tudo sobre o grupo: quem eram, como as integrantes se chamavam, quais eram as músicas do CD, qual parte cada uma delas cantava etc. Assim, fui, no meu melhor estilo CSI digital, o qual já viram nos meus vídeos – *detalhe é que nessa época não tinha internet na minha casa, então eu fui uma verdadeira CSI off-line!* – às bancas de jornal e comprei quase tudo que eu pude comprar de Spice Girls. Usei um dinheirinho que tinha guardado do lanche da escola. *Minha mãe me dava dinheiro para comer na cantina da escola, mas eu não comia para poder guardá-lo e também para ser magra. Aquele cenário para mim era o melhor dos dois mundos, só que não, né?*

A partir daquele momento, comecei uma investigação pesadíssima. Lia tudo o que podia sobre o grupo, conversava com amigas que já o conheciam e, em todas as matérias, o termo *Girl Power* era mencionado. *Todas.* Em 1997, o mundo falava de *GRL PWR* por causa das Spice Girls!

 Na época, eu tinha quase 13 anos, e pensava quão exagerada era aquela comoção toda hora por causa de Girl Power. Afinal, era o ano de 1997 e as mulheres já sabiam que elas podiam ser o que quisessem ser, ficar com quem desejassem e cultivar amizades diversas. Mas, a teoria é sempre linda, né? Já a prática, essa é desastrosa.

 Por meio de pesquisas sobre elas, ao ouvir e traduzir as músicas fui me tornando fã das Spice Girls! *Hoje, ao olhar para o passado, posso dizer que as traduções me ajudaram bastante a melhorar o meu inglês.* Comecei a buscar cada vez mais coisas em comum entre mim e as cinco cantoras daquele grupo e, logo de cara, por causa do meu único objetivo em participar de um grupo cover, que era poder ir no programa da Xuxa, eu busquei as semelhanças delas com a minha aparência. *Alô, representatividade!* Por isso, eu me apeguei à cantora Mel C, mas, se fosse por causa do estilo, eu estaria mais próxima de uma mistura de Geri e Mel B.

Depois, quando comecei a conhecer melhor, percebi que eu era bem Mel B – *que é a geminiana do grupo, olha só.*

Essa foi a época que fiz 13 anos e em uma sexta-feira 13! E, no topo das minhas crenças supersticiosas ao contrário – sim, porque desde sempre acho que as coisas que dão azar para os outros, dão sorte para mim – decidi que aquele seria meu momento de mudança! Como? Não sabia. Na verdade, eu não fazia a mínima ideia!

Então, comecei pequenas atitudes que me davam certa segurança, pois eu era a pessoa mais insegura do mundo – *hoje em dia eu continuo sendo, mas tudo bem!* Primeiro passo foi parar de usar algumas roupas apenas porque estavam na moda e todo mundo usava. Resolvi parar de insistir nelas e comecei a vestir peças mais diferentonas e mais exóticas. Um dia me dei conta de que sempre falava a máxima: "eu amo roupa assim, com paetê, glitter, cortes diferentes, mas não fica bem em mim".

Agora, pare e pense, *miga*: quantas vezes você acha que eu experimentei aquelas roupas que eu jurava não ficar bem em mim? Isso mesmo, um total de zero vezes! Nessa mesma época, eu passei a ser mais respondona também e fiquei durante anos ouvindo quão feio era para uma mulher discutir, brigar, falar palavrão, usar roupa x, y etc. Justamente por causa desse discurso, parecia que eu queria provar como poderia fazer tudo aquilo que diziam não ser legal e mostrar para todo mundo quão errados eles estavam!

Também nessa fase, preciso lembrar de que eu não tinha noção de sororidade, pois eu queria que acreditassem que qualquer outra mulher fazendo a mesma coisa que eu seria feio, mas comigo era legal! É biscoiteira que chama, né? Hahaha

Ou seja, todo aquele conteúdo que eu via como inocente, redundante, levemente ultrapassado, o qual consumia para conhecer melhor um grupo pop, reunido e orientado por um homem para fins comerciais, de certa forma, havia mexido comigo sem eu sequer perceber isso! Detalhe: eu só fui perceber isso depois de alguns anos. De qualquer maneira, posso atribuir o meu feminismo de hoje à contribuição do *Girl Power* das Spice Girls da década de 90 com muito orgulho. <3

A lição disso tudo, minha amiga, é que não há motivos para ter vergonha de assumir quais são suas referências, nem de ter medo de ser quem é e muito menos de questionar o que andam falando para você. Afinal, é possível, sim, enxergar o *GRL PWR* em alguma *mina* da internet ou uma desconhecida conversando com alguém na rua e se interessar pelo feminismo. Não há regras, modos ou fórmulas para começar a questionar sobre ser mulher, sobre o que faz se sentir melhor e mais feliz.

Toda essa história minha com as Spice Girls é pra dizer que não tem um jeito certo ou errado de conhecer o feminismo! Existem pessoas que desde muito novinhas crescem num ambiente problematizador, e por isso desde cedo estão familiarizadas com os nossos problemas sociais e possíveis caminhos para mudá-los. Mas não é assim com todo mundo! Tem quem veja algo na internet e se interesse pelo assunto, quem ouça uma música e pare pra pensar, enfim... nossos caminhos podem ser diferentes, mas a luta é a mesma!

QUEM TEM MEDO DO FEMINISMO?

O feminismo é um movimento mundial de luta protagonizado por mulheres pela igualdade social, econômica e política entre homens e mulheres. *Simples assim.* Não significa odiar e desejar a morte de homens, ou ainda achar que mulheres são superiores aos homens, além de tantos outros mitos. Mas, principalmente, O FEMINISMO NÃO É O OPOSTO DO MACHISMO!

A melhor prova disso está no fato de que o feminismo nunca fez uma vítima sequer, já o machismo... Muita gente foi morta por motivos que envolvem o machismo.

As primeiras manifestações feministas aconteceram no século XVIII, com o movimento das sufragistas, na França, no qual mulheres lutavam pelo sufrágio – palavra bonita que significa "direito de votar". Pare para pensar se seria OK você, mulher, não poder votar, e as decisões políticas ficassem todas nas mãos de homens (por isso precisamos sempre votar em mulheres). Acredito que muita gente, com certeza, faria muito barulho e mostraria indignação, não é?

As sufragistas também fizeram, e muitas pessoas reagiram de um jeito nada receptivo! Os homens ficaram doidos! O medo deles era de ter que cuidar das crianças e obedecer às esposas, por isso eles faziam inúmeras campanhas contra as sufragistas. *Obviamente, estavam com medo de serem tratados da maneira que eles tratavam as minas!* Essa reação às sufragistas aparecia na sociedade de várias formas, como na confecção de pôsteres e elaboração de "piadas"!

Dá para perceber que o forte do machismo não é a criatividade, não é? Afinal, essas são exatamente as mesmas piadas feitas até hoje! Será que nenhuma das pessoas que ainda reproduzem piadas machistas hoje em dia parou para pensar que é o mesmo conteúdo de "mil" anos atrás? *Se fosse eu a comediante, me preocuparia! Hahaha*

Além disso, há mulheres que defendem o não-feminismo por acreditarem que as pautas são somente um grande *mimimi*, por nunca terem enfrentado uma situação em que foram inferiorizadas por serem mulheres! Olha aqui como é importante pensar nos recortes sociais, por nunca terem sofrido, ignoram mulheres que sofrem ou falam que é besteira.

Essa péssima – e errada – percepção do movimento o faz ser malvisto, ainda hoje, e portanto, muitas mulheres sentem receio ou medo de se aceitarem como feministas. *Novamente, o que permeia a discussão aqui é autoaceitação – sem considerar a estética e o corpo.* Se você, mulher, acha injusto diferenças salariais, cobranças sociais e tratamento diferenciado por causa do gênero, preciso lhe informar: você é feminista! Aceite-se, pois quando se aceita feminista, você se empodera, entende a desconstrução que vai passar e sente a transformação de coisas com as quais estava habituada.

Quando as mulheres aceitam o feminismo e, mais do que isso, se declaram feministas, passam a entender como certas coisas não são tão engraçadas quanto pareciam. Por exemplo, ao não mais aceitar o nosso salário inferior ao de homens, visto que a dedicação é igual ou, muitas vezes, maior que a deles para conseguir ocupar uma vaga de emprego. Também começam a rejeitar "piadinhas sobre coisas de mulherzinhas" e enxergam quanto o machismo é tóxico e perigoso.

Lembram-se daquelas situações em que o amiguinho da escola expunha alguma menina, ao diminuir a aparência física dela para se sobressair em alguma coisa ou, simplesmente, para que ela se sentisse inferior em relação a ele? Antes de aceitar-se como feminista, essas situações costumam ser vistas como normais, como brincadeiras de homem, ou o velho "o mundo é assim mesmo". Porém, ao entender e se declarar feminista, esses casos passam a ser questionados e, sempre que possível, evitados.

A verdade é que a Maíra de 1997, que pensava ser desnecessário, em pleno século XX, falar em *Girl Power* por causa das Spice Girls, pois acreditava que as mulheres já tinham conquistado tudo, hoje afirma a necessidade de se falar sobre feminismo e *Girl Power* a todo momento. Porque quanto mais mulheres souberem do seu poder, mais força teremos pra lutar contra essas desigualdades.

Não há mais espaço para brincadeiras sexistas, e as mulheres não vão mais aceitar ser inferiorizadas em quaisquer brincadeiras. Além disso, é preciso que as crianças e toda a sociedade sejam educadas para entender essa questão de uma vez por todas. Problematizar o machismo é um dever, mas além disso, encarar e aceitar o feminismo é uma necessidade para que a mulher e o movimento sejam respeitados em toda a sociedade.

O que os homens ganham com o feminismo?

Vira e mexe essa pergunta aparece na internet e nas rodas de conversa. O que os homens ganham com o feminismo? Este tipo de discurso me deixa um pouco receosa, porque na minha opinião qualquer ser humano deve em primeiro lugar ter o sentimento de igualdade e justiça dentro dele, independente se irá se beneficiar ou não com aquela justiça. Como o feminismo é uma luta protagonizada por mulheres sobre a igualdade da mulher na sociedade, ela deveria ser algo natural e bem aceita por todos, pois veio para acabar com injustiças.

Porém, muitas pessoas colocam como responsabilidade do feminismo o fim de problemas que a masculinidade tóxica trouxe aos homens. Sendo essa mais uma responsabilidade que nos é atribuída injustamente.

Essa atribuição pode vir porque o machismo quase nunca é separado da masculinidade tóxica. O machismo acontece quando socialmente o homem é visto com superioridade e a mulher com inferioridade, o machismo é nocivo às mulheres: por causa dele, muitas mulheres podem ser mortas e vítimas de violência. Já a masculinidade tóxica é quando tudo que é usado para manter a ideia que o homem é superior às mulheres reflete de maneira negativa na vida do homem.

Resolvi listar os tópicos que circulam na internet e fazer uma análise:

1. "Homens não são máquinas sexuais"

Esta "exigência" vem muito da ideia (criada pelos próprios homens) de que ser homem depende de ser sexualmente ativo, quando na verdade este tipo de reforço comportamental gera competitividade, criação de mentiras, gravações de momentos íntimos sem consentimento da outra parte, entre outras coisas. O feminismo serve para que mulheres saibam que não existe obrigação de servir sexualmente seu companheiro (quando falamos de um relacionamento heterossexual). Inclusive, muitos homens ignoram o "não" de uma mulher usando a alta virilidade como desculpa.

2. "Vocês tem o direito de dizer que não querem ficar com uma mulher sem serem chamados de 'bicha'"

Mais uma vez, vemos o uso da sexualidade heterossexual como forma de determinar se o homem é "homem", se o biológico dele está de acordo com o social. Isso sem falar na homofobia aplicada aqui! A masculinidade frágil de muitos faz com que precisem provar o tempo todo que não são homossexuais (não vestir roupas de determinadas cores e não dar beijo no rosto de outros homens também fazem parte dessas provações sem sentido).

3. "Vocês não precisam ser responsáveis pela vida financeira da família"

Este tipo de visão de que os homens são o alicerce financeiro da família vem pelo fato de que mulheres foram proibidas durante muito tempo de estudar e trabalhar para se dedicarem apenas a servir o lar e a família. Não nos foi dada outra opção no passado.

Esta responsabilidade absurda foi criada há muitos anos, de homem pra homem, e por muito tempo fomos afastadas de todas as maneiras de poder ter independência financeira e intelectual. Fazer menos dinheiro que a mulher é motivo de piada entre os homens, ou seja: na masculinidade tóxica determinou-se que o homem precisa ser superior que a mulher, e ver uma mulher sendo superior os coloca em questionamentos se ele é "homem suficiente".

Inclusive, esse argumento de ser alicerce financeiro é um dos principais motivos pelo qual homens em sua maioria promovem outros homens em empresas, o que nos faz ver homens na maioria dos cargos altos de uma empresa. Até hoje recebemos salários mais baixos que os dos homens (em especial os homens brancos), e ainda existem espaços profissionais que são vistos como "coisa de homem".

Para que esses tabus masculinos sejam derrubados, **homens precisam lutar contra a masculinidade tóxica.** O feminismo é uma luta protagonizadas por mulheres pela nossa igualdade social. O fim da desigualdade de gênero que lutamos com o feminismo almeja o fim de muitas coisas sérias, como feminicídio, violência e abuso contra a mulher. Nossas causas são imensas, e não podemos tentar resolver problemas sociais de outros grupos. O próprio feminismo se desdobra em recortes como feminismo negro, transfeminismo e feminismo indígena. Podemos trabalhar o feminismo e o fim da masculinidade tóxica conjuntamente? CLARO! Mas jamais nos entreguem esta função.

PROBLEMATIZO, LOGO SEI QUE EXISTO

Não problematizar é vestir a capa de invisibilidade do Harry Potter! Ao fingir que coisas não afetam você, nega-se sua existência. Porém, esta etapa de reconhecimento de uma realidade faz parte da desconstrução de cada um. Uma vez que você percebe o que discursos machistas e preconceituosos podem causar no mundo, em especial com as mulheres, com certeza não vai querer compactuar com eles. Sendo assim, ao abrir a porta da problematização, ela nunca mais será fechada!

Quando qualquer pessoa questiona uma convenção social choca bastante a sociedade, mas penso que também acolhe pessoas. Você deixa de se sentir culpada, e começa a se entender como vítima de muitas injustiças, tabus e bizarrices. E não que isso te mostre fragilidade, muito pelo contrário, isso tudo é sobre o que eu disse no começo do livro: você é uma sobrevivente! Alegre-se e orgulhe-se da sua luta! Por exemplo, já parou para pensar por que a mulher faz algumas coisas e o homem não faz? Como o porquê de a mulher se depilar ou por que as calças feitas para mulher, geralmente, não têm bolsos na parte da frente? Por que a mulher quase não aparece nos livros de História? Por que todos os grandes nomes da história mundial sempre são homens? Ou por que existem poucas super-heroínas em comparação à quantidade de super-heróis? Por que a mulher não pode ser gorda? Por que é normal ouvir que tem mulher que finge orgasmo? Por que a mulher não pode falar palavrão, nem arrotar, nem gostar de futebol? Por que a mulher não pode fazer contas? Por que é mal-visto uma mulher não ser monogâmica? E, enfim, por que a mulher não pode um monte de coisas que o homem pode fazer com segurança e tranquilidade?

A resposta a esses "por que a mulher não pode?" está no machismo. O mundo se constrói com o machismo tão enraizado na sociedade que até a ausência de bolsos frontais nas calças das mulheres se justifica, ao longo da história, pelo fato de a mulher não carregar carteira por não ser a pessoa proveniente do dinheiro da casa ou pelo fato de que sem os bolsos sua aparência fica mais magra.

No caso da ausência de grandes nomes de mulheres na história mundial, será mesmo que a história da humanidade é feita apenas por homens e nenhuma mulher foi responsável por promover mudanças na sociedade, causar enfrentamento, conquistar novos territórios e questionar as certezas do mundo? A resposta é evidente e segura: as mulheres da história são tão ou mais importantes que os homens, mas ficam de fora dela porque, na maioria das vezes, a história foi escrita e contada por homens e, assim, mulheres acabam "esquecidas"!

Marie Curie (1867-1934)

Cientista polonesa que foi a primeira em várias coisas tidas como "masculinas": primeira mulher a receber um Prêmio Nobel, primeira pessoa e única mulher a ganhar o prêmio duas vezes, primeira mulher a ser admitida como professora na Universidade de Paris. Ela descobriu a radioatividade e vários elementos químicos. Você já tinha ouvido falar nela?

> **Maria Lacerda de Moura (1887-1945)**
>
> Professora e escritora brasileira. Ela é considerada uma das primeiras feministas do Brasil, e escreveu sobre assuntos super "modernos" pra sua época, como o direito ao prazer sexual da mulher, divórcio, maternidade consciente, prostituição, e a luta pela emancipação feminina do ser humano como um todo. Você já tinha ouvido falar nela?

Acho que nem preciso explicar aqui o porquê as super-heroínas que existem são supersexualizadas e sensuais, têm o corpo cheio de curvas, peitões e as vozes *sexies*, né? A essa altura, já deve entender que, na maior parte das produções, o artista por trás da criação de tais personagens é um homem.

Perceber que essas questões estão presentes em nosso dia a dia e levantar problematizações acerca do assunto não faz a mulher se transformar em uma pessoa chata, que acha que tudo é culpa do machismo – *apesar de quase tudo ser mesmo tudo culpa do machismo, hahaha* –, mas é saber enxergar o quanto a mulher ainda é silenciada pela sociedade em que vive e o quanto (*ainda*) precisa lutar.

Hoje, estamos muito mais fortes e questionadoras, porém é preciso percorrer um longo caminho até transformar toda a sociedade. Portanto, problematizar é um caminho necessário.

Vitórias feministas

Não se pode deixar de lembrar que problematizar não significa apenas causar uma discussão, mas também saber comemorar e enaltecer as vitórias de mulheres que nos rodeiam. Sabe por quê? Porque em um mundo machista, as mulheres precisam praticar a empatia ao invés de rivalizarem entre si. Em outras palavras, entender que estão lado a lado na mesma luta: isso é sororidade.

A sororidade feminina não só é necessária como também é fundamental. Mais do que nunca, as mulheres precisam apoiar umas as outras e entender que há muitas culpas, atribuídas a elas, que não são de responsabilidade delas, mas que o mundo machista faz as mulheres acreditarem nisso. Portanto, estar ao lado da luta das mulheres e enaltecer a sororidade colabora para a construção da imagem de uma mulher que pode, sim, ser o que quiser, e também ser o que todo mundo diz que ela não poderia ser.

Sororidade é criar uma rede de apoio entre as mulheres para colaborar com o desenvolvimento de todas, mas isso é completamente diferente de aceitar tudo o que qualquer mulher faz sem refletir sobre o assunto. É tratar as mulheres de igual para igual, sabendo diferenciar questões de caráter e personalidade das questões éticas e morais. Afinal, se uma mulher agiu errado com você não significa que todas as outras são como ela. Então, desconstruir esse discurso é o começo da construção da imagem da mulher. Quer ver um exemplo disso? Pare de espalhar o boato de que a mulher gosta de malandro ou que toda mulher ama um cartão de crédito sem limite. E pior que isso, pare de xingar as ex-namoradas do seu atual namorado ou namorada só porque está sentindo ciúme.

Problematize e crie suas redes de apoio. Nós vamos arrasar e conquistar muitas coisas! *Eu tenho certeza.* Mas, para isso, precisamos, primeiro, desconstruir muita coisa.

Girl Power no topo dos poderes

Não é só de problematização e desconstrução que a mulher vive. Afinal, o feminismo do século XXI conquistou muitas e muitas coisas. As conquistas se devem ao fato de que as mulheres afrontosas e questionadoras – *assim como eu e você* – decidiram mudar o que está estranhamente injusto na vida de todas.

Pare um pouco e pense, bem rapidinho, no quanto as coisas evoluíram ao longo dos séculos. Já dissemos, neste livro, que o acesso da mulher ao mercado de trabalho ocorreu apenas no contexto da Revolução Industrial, no fim do século XVIII, com péssimas condições de trabalho. Além disso, se os homens ganhavam pouco, as mulheres, os idosos e as crianças ganhavam menos ainda. Apesar disso, é preciso valorizar esse período, pois as mulheres puderam, finalmente, começar a trabalhar fora de casa. Também por meio desses acontecimentos, o início da emancipação feminina pôde se desenvolver e resultar em muitas conquistas.

No Brasil, por exemplo, a primeira mulher a concluir o ensino superior foi Rita Lobato Velho Lopes. Ela fez graduação em Medicina pela Faculdade de Medicina da Bahia. E se você pensa que foi um feito simples e fácil, está muito enganada. Para começar, toda a estrutura da faculdade precisou ser replanejada, pois não havia nem banheiro feminino no campus. Além disso, Rita tinha sempre de ser levada às aulas por seu pai e, durante a disciplina de Anatomia, em que eventualmente tivesse contato direto com corpos masculinos nus, ela precisava ser acompanhada por uma mulher casada. Portanto, se hoje a mulher consegue ter acesso ao ensino superior, grande parte dessa conquista se deve à coragem e à audácia de Rita. Eventos como esse justificam dados como a pesquisa do IBGE de 2018, em que as mulheres representam 57,4% dos profissionais da área médica com até 29 anos.

Ampliando um pouco a nossa análise para outras áreas do mercado, também temos motivos para comemorar. Dados de pesquisas do IBGE de 1950 apontam que somente 13,5% das mulheres eram economicamente ativas contra cerca de 80% dos homens. Ao analisarmos a mesma pesquisa realizada 60 anos depois, em 2010, o número de mulheres no mercado de trabalho mais que triplicou, ao chegar a 49,9%. Apesar disso tudo, ainda há muita coisa a ser conquistada. As mulheres continuam ganhando menos que os homens brancos em cargos de mesma função e, mais que isso, somente 39% das mulheres economicamente ativas chegam aos cargos de chefia.

A caminhada é longa e ainda há muito a ser feito, mas podemos comemorar as conquistas alcançadas. O fato de as mulheres hoje em dia poderem falar que são feministas e reconhecerem o que foi conquistado, dá ânimo para seguir lutando pela igualdade de gênero.

A internet pode ser um mundo lindo

Se no mundo *off-line* as coisas parecem caminhar a passos mais lentos, na internet a coisa muda um pouco.

Mesmo com todas as críticas feitas ao mundo virtual, ninguém pode negar que a liberdade é maior e mais fácil por lá. Há nichos de todos os tipos, e a troca de experiências fica mais fácil.

O YouTube, esse mundo repleto de canais de todos os tipos, é um campo a ser explorado com carinho. Com uma simples busca é possível encontrar um grupo no qual você se encaixe, ou um conteúdo que gostaria de acompanhar. Sentir-se acolhido e abraçado na internet é possível, é só saber procurar e cultivar conteúdos bacanas!

Não há necessidade de sentir medo e vergonha de buscar a sua praia ao se conectar à internet, de sentir-se à vontade para ser quem é e ser feliz. É muito maravilhoso como o mundo virtual leva as pessoas a conhecer gente parecida e que tem quase os gostos próximos, ou corpos e cabelos parecidos. Sabe aquela história de padrão e regras da moda? Na internet, elas são inventadas por diversos nichos presentes nos canais, nas redes sociais e nos perfis. Com certeza, você vai encontrar – *ou já encontrou* – o seu povo.

Fora da internet, nas livrarias e no cinema o *GRL PWR* parece ter ganhado um poder extra e, hoje, já podemos encontrar algumas mulheres que assumem o protagonismo na literatura, no cinema e nas artes em geral. Pode parecer trivial e habitual haver o nome de uma mulher na capa de um livro – *como este aqui que você está lendo* – ou nos créditos de um filme. Melhoramos um pouco, mas ainda estamos em minoria. E, infelizmente, nem é tão fácil de encontrar assim. Veja nas listas de livros mais vendidos pra você ter ideia de como a maioria dos títulos foram escritos por homens.

As mulheres não conseguiam produzir conteúdo e muito menos tomar a frente das próprias produções. Na Idade Média, por exemplo, as escritoras eram obrigadas a mudar de nome para conseguirem ser publicadas e lidas. No entanto, no contexto do Romantismo, mas também com a forte participação de mulheres como Jane Austen e Virginia Woolf, tudo começou a mudar na literatura. As duas escritoras foram essenciais para abrir caminho para que outras mulheres também tivessem suas produções assinadas por elas mesmas. Um exemplo disso é Simone de Beauvoir, escritora e filósofa.

Assim, atualmente, é possível reconhecer os feitos de grandes mulheres em diversas áreas do mercado de trabalho e em todos os ramos do desenvolvimento humano, pois lhe são dados os créditos. No Brasil, por exemplo, conhecemos Mylena Peixoto, estudante que venceu um concurso da NASA ao descobrir 5 novos asteroides com apenas 16 anos, em 2017. Ela ganhou uma bolsa de estudos e passou um período estudando na NASA. Se isso não é incrível, eu não sei o que é.

Agora que você chegou até aqui, já conseguiu listar o quão incrível você é, *miga*? Você é foda! E deve ter descoberto isso desde o primeiro capítulo. Então, é só questão de se autoaceitar e saber enxergar suas qualidades como pessoa e, mais do que isso, como mulher.

4
COMPRAR, COMPRAR E COMPRAR!

O mundo parece entender – *e gostar do fato* – que a mulher se tornou, por causa do contexto social, um ser consumista. Ouvir a palavra "comprar" e não enxergá-la associada em nenhum momento a uma mulher parece ser uma missão impossível. As inúmeras piadas e estereótipos que envolvem mulheres que sonham com cartões de crédito sem limites, maridos e namorados ricos e comprar uma blusinha igual a outra dentro do armário sem perceber é só a ponta do iceberg.

Então, vamos trabalhar com os fatos e com os mitos criados com base na suposta necessidade das mulheres de consumir sem parar tudo e qualquer coisa.

Por que mulher compra mais?

Acatar o que falam sobre a mulher simplesmente sem questionar nada não é mais aceito. *Amém por isso!* Então, vamos pensar se realmente compramos mais que os homens e o porquê. Para isso, como fiz em boa parte deste livro, é necessário voltar um pouco na história, ao ponto em que as coisas começaram a ser como são e, sem fugir da responsabilidade, problematizar esses pontos.

Você vai fazer comigo, neste capítulo, uma pequena viagem pelo mundo da moda, do dinheiro, dos afazeres domésticos e encontrar as respostas sobre como esses fatores estão relacionados ao consumismo desenfreado das mulheres.

História da moda

O que é moda para você? Tudo bem se não se importar com a moda e se, quase nunca, comprar roupas e sapatos seguindo as tendências do mercado. Afinal, este espaço é livre e gostaria que você continuasse a ser a pessoa que decidiu ser. Porém, convido-lhe a pensar em como a moda e a transformação na maneira de se vestir têm influência direta também na maneira de consumir.

Ao olhar para a história e analisar as sociedades antigas, encontra-se uma relação entre homens, mulheres e o ambiente que os cercava, em como evoluíram, mudaram ou, simplesmente, se transformaram. Por exemplo, na Pré-história, a mulher ocupava a mesma posição hierárquica que o homem ocupava. Assim como ele, o principal objetivo da mulher era lutar para sobreviver e, por isso, também precisava encontrar o que comer e onde dormir. Portanto, não havia necessidade de diferenciar os sexos por meio da vestimenta. Afinal, ambos tinham de se vestir de maneira que facilitasse a caça de animais.

Na Idade Média, as coisas mudaram um pouco de figura. O homem passou a ter como principal função a conquista de novos territórios e, por isso, muitas vezes lutava em batalhas e guerras. Sua roupa, então, se resumia a algo que pudesse facilmente ficar embaixo de armaduras e sob um cavalo e que permitisse ao homem empunhar armas e espadas. A mulher, por sua vez, tinha como principais funções manter a casa em ordem e colocar comida na mesa. Ela devia providenciar as refeições e deixar tudo funcionando bem para quando os homens voltassem das viagens.

Nessa época, não havia preocupações com a vaidade ou com os padrões de corpo. Na verdade, quanto maior e mais robusta fosse a mulher, mais saudável e mais forte ela era considerada. Porém, era desejado que houvesse a demarcação da cintura e a exposição dos seios. Então, surgiram os espartilhos, que apertam a cintura da mulher e colocam os seios para fora do vestido.

As diferenças entre homens e mulheres começaram a ser evidenciadas na Idade Média, e até hoje são mantidas. Aos homens e às mulheres foram atribuídas funções dentro e fora de casa e, por isso, as roupas foram se tornando cada vez mais diferentes. Com o passar dos séculos, a mulher se tornou cada vez mais responsável pelos trabalhos domésticos e pelos cuidados com os filhos, e o homem ficou responsável por manter o sustento e a sobrevivência da família. O que isso significa?

A distinção de gênero e a distinção das funções de cada um fizeram a moda ter papel importante na manutenção da ordem da sociedade. E isso – *vocês nem queiram saber* – explica muita coisa. Muita mesmo! Por exemplo, justifica a fama da mulher acerca do consumo e de sua relação com o dinheiro. Perceba que, com exceção da Pré-história, em que tinham as mesmas funções que os homens e, portanto, saíam de casa para conseguir alimento, as mulheres foram conduzidas aos cuidados da casa desde a Idade Média. Somente no fim do século XIX, quando começou a ocupar postos no mercado de trabalho, a mulher se viu – em certa medida – livre da totalidade dessa obrigação. Antes disso, as roupas eram feitas para facilitar o trabalho doméstico e para exibir uma mulher padrão com um casamento bem-sucedido.

A vestimenta era tão associada ao gênero que as mulheres só começaram a usar calças e blusas quando foram recrutadas para os trabalhos nas indústrias. E, depois, somente com a Segunda Guerra Mundial e a necessidade de as mulheres sustentarem seus lares – já que os maridos estavam na guerra – é que a calça foi estabelecida e entendida como uma peça do vestuário feminino. Mas, ainda nesse início, elas tinham de usar calças masculinas, pois a indústria da moda não produzia calças e camisas para as mulheres. Assim, apenas na década de 1970, século XX, portanto, é que a moda começou a produzir tais vestimentas para a mulher.

Nessa mesma década, o consumo livre, o discurso de liberdade da mulher e o acesso a questões tidas como exclusivas do ambiente masculino começaram a fazer parte do mundo feminino. A pílula anticoncepcional foi uma vitória para a época, tanto para liberdade sexual das mulheres, pois pela primeira vez as mulheres podiam falar sobre sexo abertamente, quanto pelo desejo de não ser mãe. Todo esse progresso veio acompanhado pela moda.

As mulheres foram se tornando mais livres e capazes de discutir e lutar pelos seus direitos. Ao ganharem as ruas e o mercado de trabalho, deixavam aberto o questionamento sobre a escolha de se casar ou não. Mais do que isso, os cuidados com a casa deixaram de ser a sua única função na sociedade. Assim, abriu-se um leque de possibilidades para as roupas femininas com novas opções de modelos para calças, saias, vestidos, camisas, camisetas, casacos, sapatos, acessórios e bolsas. A mulher, finalmente, começou a poder escolher o que vestir, o que usar e como usar. Enquanto isso, a moda masculina também evoluía, mas seguindo o tradicional ao continuar oferecendo poucas variações do vestuário feito para os homens.

Isso quer dizer que, obviamente, a mulher começou a ser relacionada ao consumo desenfreado por encontrar tantas opções de roupas e sapatos numa mesma estação.

No caso dos sapatos, os modelos são inúmeros e a moda efêmera. Além disso, todo lugar parece exigir um tipo de sapato. Veja:

- em casa, chinelo;
- no shopping, rasteirinha ou tênis;
- no trabalho, sapato fechado de salto baixo ou sandália de salto baixo;
- em uma festa à noite, sapato de salto altíssimo e caro;
- festa ao ar livre, uma anabela para não enfiar o salto na grama.

As bolsas (que também servem pra suprir a falta de bolsos nas roupas femininas, que sumiram para nossa silhueta ficar mais alongada e aparentarmos ser mais magras) e os acessórios seguem a mesma linha dos sapatos: para cada ocasião, um modelo diferente. *E ai da mulher que não se adequar à moda e às exigências que ela faz.*

Já viu alguém reclamando de um homem que está sempre com a mesma roupa? Com certeza, não. Mas, ponho minha mão no fogo ao afirmar que já viu muita gente julgar uma mulher por ela ter usado a mesma roupa com frequência ou ter repetido recentemente.

A cobrança externa, em questão de poucos anos, se torna uma cobrança interna. Assim, muitas vezes, a mulher cai em uma armadilha ao pensar que não tem roupas adequadas para cada situação e, por isso, se sente excluída da sociedade e perde muitas oportunidades na vida. Então, é exatamente esse pensamento que faz a mulher comprar, comprar, comprar e comprar: querer estar sempre na linha para ser incluída em tudo e fazer parte de tudo.

Mas, se não bastasse isso, diferentemente das roupas masculinas que seguem um padrão e quase nunca mudam, a moda feminina parece enxergar na mudança e nas diferenças a única capacidade de evoluir e de se modernizar. Por exemplo, o comprimento de saias, blusas e calças muda a cada estação:

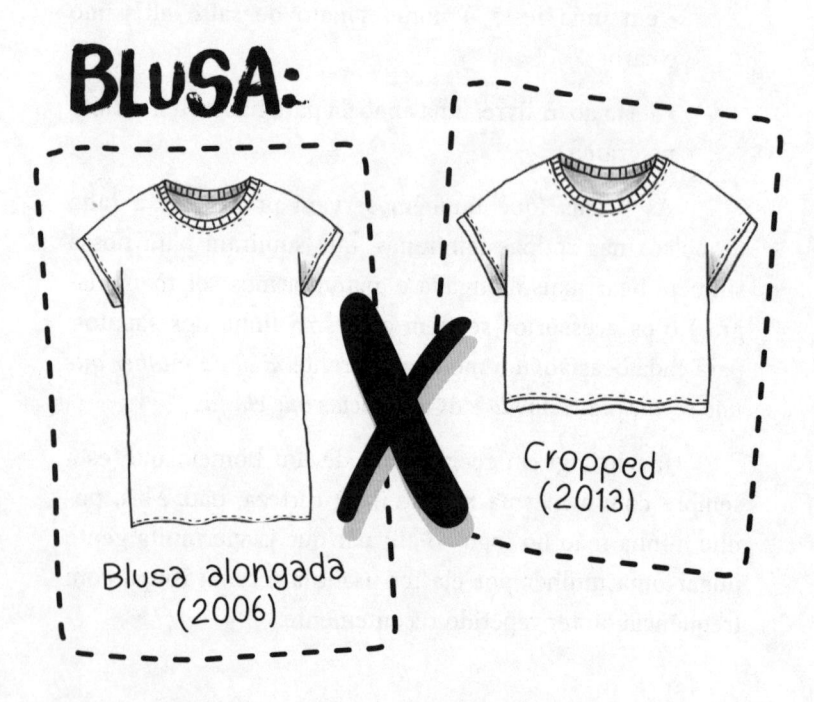

BLUSA:

Blusa alongada (2006) X Cropped (2013)

SAIA:

Saia bandagem (2014) ✗ Saia midi (2017)

CALÇA:

Cintura baixíssima (1998) ✗ Cintura alta (2019)

COMPRAR, COMPRAR E COMPRAR!

Enquanto isso, a moda masculina, além ser bem menos efêmera, também é muito mais tolerante e arrisca bem menos mudanças. Afinal, seguir os passos da moda tim-tim por tim-tim "é coisa de mulher", né?

Além das roupas diferentes que exercem a mesma função, ainda há a maquiagem, que custa caro e faz parte do que se espera da mulher social e profissionalmente. Afinal, a convenção diz que mulher sem maquiagem é desleixada, tem cara de acabada e não está adequada para ir trabalhar ou para sair de casa (quantas vezes você não pediu desculpas – literalmente – para alguém que encontrou quando saiu de casa sem maquiagem?). Mas, o homem que se maquia tem sua masculinidade colocada em questão: é menos homem quem se maquia. Ou seja, apenas um dos gêneros pode seguir com seu rosto natural sem questionamentos.

E, sendo assim, temos muitos motivos para acreditar mais ainda neste lance de que mulher gasta muito, arruína contas conjuntas, estoura o limite do cartão de crédito etc.

No entanto, a questão não é somente essa. O mais importante é: por que é tão necessário manter esse estereótipo e perpetuar esse comportamento?

Simples, dessa maneira, as empresas continuam lucrando com a insegurança das mulheres, isto é, a vergonha de estar com uma roupa cafona e o medo de não ser *cool* o suficiente para ser levada a sério num momento importante as mantêm cada vez mais inseridas no consumismo e, consequentemente, mais distantes da independência financeira e do conhecimento do uso do dinheiro a favor delas.

O dinheiro da mulher

Mas, não é apenas o consumo desenfreado que justifica a falta de controle financeiro da mulher. A velha expressão "cartão de crédito sem limite do marido deixa qualquer mulher feliz" mantém a sociedade funcionando nos padrões machistas e sexistas de que tanto falamos. Ora, afirmar que uma mulher não sabe se controlar e, por isso, compra tudo o que vê pela frente, além de amar gastar o dinheiro do marido, a coloca em uma posição de dependência financeira que "justifica" muitas atitudes machistas. Por exemplo, deixar com a mulher toda a responsabilidade de cuidar da casa, visto que é o marido que custeia os luxos da esposa.

Entende como a lógica machista mantém a mulher sempre lugar considerado inferior na sociedade? E, mais do que isso, percebe o motivo pelo qual é cada vez mais urgente tomar consciência da situação financeira e saber usar o próprio dinheiro?

Não estou aqui querendo dizer que você não pode mais gastar o seu dinheiro com *brusinhas*, sapatos e maquiagens. Não, não é isso. Aliás, gaste com o que bem entender ser necessário e com o que lhe traz bem-estar e felicidade. Mas, o que quero alertar é que precisa usar o dinheiro a seu favor, aprender a investir e a aplicar um pouco do que ganha para garantir a sua liberdade e o seu futuro, sem que, para isso, você dependa única e exclusivamente de um marido que tenha um cartão de crédito à sua disposição. Não caia nesses esteriótipos de que mulher não sabe gerenciar dinheiro, enfim, um relacionamento saudável deve ser pautado em amor e carinho com o companheiro ou companheira e jamais numa relação de poder dele ou dela sobre você. Somente a independência financeira pode garantir isso.

Rompa os padrões e passe a entender mais de finanças. Um caminho, é estudar e se interessar por economia e seguir exemplos de mulheres que sabem investir e são bem-sucedidas nisso. Por meio da internet, é possível encontrar muitos exemplos de mulheres assim. E, mais do que isso, baixar aplicativos para controlar as finanças e até investir dinheiro. Sem contar que, ao consumir menos, ainda colabora com o meio ambiente. Pense nisso!

Eu me lembro de que sempre tive a fama de "gastona". Minha mãe nunca me deu mesada porque sabia que eu gastava tudo em um dia! Eu simplesmente via uma coisa de que gostava e, se tivesse dinheiro, eu comprava. *Acho que provavelmente sou a reencarnação de "João e o pé de feijão" que vendeu uma vaca e com o dinheiro comprou três feijões mágicos.* Nunca foi ensinado para mim sobre a importância de saber administrar o dinheiro (mesmo vindo de uma família que não tinha abundância de dinheiro), ao contrário do meu marido que, desde muito pequeno, era estimulado a guardá-lo.

Mesmo as mulheres que conquistaram a independência financeira podem acabar caindo no estereótipo de mulher consumista sem limites! Porque ela também é estimulada desde sempre a querer comprar!

Não dá para mentir nem enganar ninguém que fazer compras, às vezes, traz felicidade e uma boa sensação. Mas, essas sensações não podem aparecer somente quando realiza-se uma compra. É interessante procurar outros momentos que a deixem de bem com a vida. Era muito comum para mim, quando estava passando por muito trabalho ou muitos problemas, sair para espairecer no shopping. Então, eu comprava um negocinho, comia uma *paradinha*, tomava um sorvete e, em pouco tempo, eu tinha deixado mais de 200 reais só porque não me sentia bem! *Recentemente, em um momento em que pensava que podia espairecer indo a um shopping, resolvi, em vez disso, tomar sorvete lendo gibi num parque.*

Comprar em excesso pode acabar adiando sua independência financeira, e, portanto, adiantar as muitas coisas que há para conquistar e fazer. Por isso, prestar atenção no dinheiro é essencial para poder seguir para as próximas etapas. Então, fique ligadinha nessas dicas aqui para quem está em busca de gastar menos e guardar mais:

1. Quando for ao shopping ou a qualquer centro de compras, faça uma lista de coisas de que precisa e quer comprar. Isso faz você não gastar dinheiro com aquelas coisas que desejamos, mas não precisamos. O famoso: "Ah! Que lindo! Eu quero...".

2. Quando quiser ir a um *outlet*, mas sem uma lista de coisas de que precisa, e, mesmo assim, querer aproveitar promoções e preços baixos, até nessa hora, pode conseguir economizar tempo e dinheiro. Entre no site do *outlet*, veja todas as marcas participantes e faça uma lista com o nome das lojas nas quais quer entrar. Ao chegar no lugar, pegue um mapa de papel e marque à caneta as lojas que listou. Assim, você também consegue traçar um bom roteiro para não perder tempo indo e voltando de lojas.

3. Faça uma planilha, pode ser no computador ou no papel, com os custos da sua vida por mês! Junte contas, boletos, aluguel, financiamento e veja o quanto gasta em coisas como: jantar fora, *drinks*, sair com as amigas etc. Desta maneira, é possível perceber se está desperdiçando dinheiro ou procurar opções mais em conta. Por exemplo, quando precisar de uma roupa, ao invés de ir primeiro a um shopping, experimente visitar um brechó.

4. Lembre-se sempre de que o cartão de crédito é perigoso quando usado sem atenção. Portanto, baixe o aplicativo do cartão no celular e fique sempre de olho no valor da fatura, pois a maior parte das grandes dívidas de pessoas é causada pelo uso do cartão de crédito e os juros implacáveis.

5. Pode ser meio difícil, mas uma coisa muito boa é fazer um inventário de roupas, sapatos e maquiagens. É bom para saber se realmente está precisando de uma peça nova de roupa.

Acesso tardio ao dinheiro

Se poder falar de independência financeira é algo novo para a mulher, imagine o quanto é recente o acesso da mulher ao dinheiro. Como falamos um pouco neste capítulo, a mulher só começou a ocupar cargos no mercado de trabalho durante a Primeira Guerra Mundial, quando os homens foram obrigados a lutar na guerra. Como os negócios da família seguiriam? A única alternativa era deixar as mulheres tomarem a frente dos negócios ou encontrarem algum emprego para sustentar os filhos e a casa.

Pensar que isso aconteceu somente no início do século XX é maluco, mas justifica muita coisa, a começar pelo discurso de que mulher não sabe investir. É visível que, assim como os homens, as mulheres cometem erros e, lá atrás, ainda durante a Primeira Guerra Mundial, ao assumirem os negócios das famílias, muitas empresas foram à falência. Mas ninguém parou para refletir que em uma sociedade em colapso por conta de uma Guerra Mundial, com certeza, haveria empresas falidas por todos os motivos econômicos.

Um exemplo disso está na diminuição do investimento em produtos de segunda necessidade (objetos supérfluos sem os quais é possível viver) para passar a investir em armamentos e instrumentos para a guerra. A mesma história se repetiu na Segunda Guerra Mundial, porém, analisar todo este contexto histórico dá muito mais trabalho do que reproduzir o discurso machista, que afirma a incapacidade das mulheres.

Ninguém levou em consideração que o mundo estava em guerra. A discussão permeia apenas o fato de que as empresas que faliram estavam sob o comando de mulheres, sem considerar que elas iriam falir mesmo com os homens no comando. Afinal, não havia demanda nem dinheiro para pagar o que fosse supérfluo.

Essas análises unilaterais contribuíram para essa fama da mulher se enraizar. Assim, surgem outras afirmações que defendem que a mulher não é adequada a profissões relacionadas aos números e ao investimento de dinheiro, aos negócios e à compra e venda. Faça um teste e tente se lembrar de alguma propaganda ou panfleto de banco que associe a figura da mulher a altos investimentos e, até mesmo, a investimentos menos arriscados, como a poupança. Também vale o esforço de se lembrar de alguma propaganda que associe a mulher, individualmente, à compra de imóveis e bens com o intuito de investir o dinheiro. Certamente, não conseguirá se recordar de nenhum, pois elas raramente existem!

Por isso, insisto na tecla de que a mulher precisa dominar o dinheiro, saber o saldo da conta bancária e aprender a usar o cartão de crédito. Use a técnica mais adequada ao seu perfil. Tenha como guia ou inspiração quem você quiser, mas lute pela sua independência financeira. Faça planos para o futuro, invista na carreira e procure, cada vez mais, consumir de modo consciente e escolher o que compra e onde compra. Fuja dos padrões e dos estereótipos para perceber quais coisas se encaixam realmente em você. Garanto que será mais feliz!

5 VAMOS CONVERSAR?

O título deste capítulo não é puramente casual, estamos conversando há tantos capítulos, mas este vai ter uma conversa diferente. Quero propor que você converse com você mesma! Muitas vezes, com a correria do dia a dia, muitas mulheres acabam não reservando tempo para pensar no que fazem da própria vida. Ligam o modo automático e sequer se dão conta de que certas coisas poderiam ser melhores ou, simplesmente, diferentes. Você não está sozinha nessa!

Para mim, boa parte do conhecimento feminista e da consciência sobre o que é ser mulher, tem início na necessidade de se conectar primeiro com nós mesmas e, depois, com as mulheres à nossa volta. Este capítulo é dedicado a essa conversa e à elucidação de muitos tabus sobre o que é relacionar-se hoje. Com tantos questionamentos sobre nosso papel na sociedade e no mundo, muitas mulheres descobrem-se em relacionamentos tóxicos e perigosos. Mesmo assim, muitas outras sequer percebem isso, porque para perceber é preciso entender! E entender exatamente o que é um relacionamento abusivo é a principal maneira de não cair nele.

Relacionamento abusivo: você sabe o que é?

O termo relacionamento abusivo assusta, não é? Parece ser tão distante que muitas pessoas podem querer pular este capítulo. Mas não pule! Preciso que leia e perceba o quanto a mulher está envolvida em mini (*ou não tão pequenos assim*) relacionamentos abusivos todos os dias.

Para começar, vamos falar de relacionamentos abusivos que vêm de nós mesmas. Sim, é possível criar um relacionamento abusivo com o eu interior e, na maior parte das vezes, não se dar conta disso.

Não acredita? Vou falar um pouquinho sobre o que é estabelecer uma relação abusiva com você. Na verdade, a mulher pode se tornar uma grande autossabotadora, capaz de arruinar projetos pessoais e conquistas em um estalar de dedos. Imagine quantas vezes já pensou: *Nossa! Que legal isso que consegui!* ou então *Nossa! Tive uma ideia ótima!*, mas em seguida, ao se lembrar de alguma insegurança ou algo que faz desacreditar de uma ideia e dos sonhos, você, simplesmente, desiste de tudo, congela as ideias e não tira nada do papel.

Além desse caso, a autossabotagem pode aparecer de diversas formas. Uma delas, talvez a primeira de todas, é a procrastinação, que anda lado a lado do relacionamento abusivo de nós mesmas. Eu mesma sou muito vítima dela, pois sempre acho que vai haver um momento melhor no futuro para fazer aquilo que desejo colocar em prática. Então, o futuro chega e percebo que não vai mais dar tempo ou que perdi o *timing*.

Interpretei a minha procrastinação, minhas inseguranças e minhas autossabotagens como um relacionamento abusivo pessoal. Eu sei que isso me faz mal, que me prejudica, mas não consigo me desvencilhar 100% disso. Chega a ser engraçado, mas eu gosto de procrastinar, da sensação de adiar as entregas e qualquer coisa importante para dedicar um tempo a mim mesma, fazendo nada ou qualquer outra coisa, mas deixando de lado o que é importante e o que exige minha dedicação naquele momento.

Preciso todos os dias me esforçar para fazer as coisas. Combato esse abuso com listas do que tenho de fazer, terapia, mil lembretes e, principalmente, com o foco naquilo que melhora a minha produção – *mesmo que isso possa ser considerado arcaico, como usar uma agenda de papel, ou outra maluquice, como fazer um grupo de WhatsApp, em que só haja eu, para poder jogar minhas ideias lá e não as deixar morrer no limbo do "depois eu penso nisso".*

Este é um dos relacionamentos abusivos mais silenciosos, mais sabotadores e menos identificados por nós mulheres. São muitas as coisas que causam insegurança, como aparência, inteligência, autoridade, idade, todos frutos da sociedade enfiados dentro da cabeça de cada uma de nós. Desde muito cedo nossos traumas e medos nos levam pro caminho da autossabotagem. Mas calma, porque a vida não acaba amanhã e há tempo de mudar essa relação. Saber que estamos nos autossabotando é um passo importante.

Além da procrastinação, é bastante comum sabotar-se por meio das verdades absolutas a nosso respeito e que impedem a capacidade de agir. É incrível como o cérebro gera pensamentos negativos e depreciativos a respeito de nós mesmas e muitas vezes somos incapazes de duvidar deles.

Atualmente, com os estudos cada vez mais avançados da neurociência, é possível afirmar, por exemplo, o poder negativo da palavra "não". No simples fato de verbalizá-la antes de frases com sentido positivo, como "Não vou atrasar este livro", faz com que o cérebro entenda que é para atrasar a entrega do livro. É maluco isso! Mas para fugir dessa perseguição da negação em sua vida basta trocar frases negativas por afirmações positivas, dizendo: "eu vou entregar o livro no prazo" no lugar de "não vou atrasar a entrega do livro". Como foquei no "não vou atrasar", talvez por isso, atrasei um pouco a entrega, mesmo me organizando para cumprir tudo.

A comparação com outras pessoas e com outros projetos também é aliada do relacionamento abusivo com o eu interior. Ao fazer uma pesquisa rápida na internet é possível descobrir o quanto as pessoas estão adoecendo graças a vidas supostamente reais postadas nas redes sociais. A ideia é de que nunca se é capaz de dar início a um projeto dos sonhos porque jamais será possível alcançar o sucesso de determinada pessoa do Instagram ou ser inteligente e engraçada como ela. Assim, as pessoas são paralisadas diante de uma incapacidade que sequer existe.

Já parou para questionar quão tóxicas as redes sociais podem ser para você? Esse assunto será tratado no capítulo 6, sobre autocuidado.

Tão comum quanto relacionamento abusivo pessoal é o relacionamento abusivo profissional. Na maioria das vezes, há certa dificuldade para reconhecê-lo. *Alô para você que diz amém para tudo que te pedem e faz mais que seu escopo no trabalho, que agrega funções de ex-funcionários e tem medo de falar não para o chefe ou para a chefe e, principalmente, para você que transformou seu trabalho em sua vida.*

Eu já vivi um trabalho no qual ficava disponível de domingo a domingo. Aos fins de semana, eu trabalhava bem menos, não vou negar, mas mesmo assim trabalhava. Depois de um tempo, esqueci como era ter um dia livre, em que acordasse e não tivesse nada para fazer. No começo eu ficava muito feliz, pois trabalhava para poder curar aquela ansiedade de estar em um trabalho novo, mas as muitas horas de trabalho não eram nada compatíveis com o meu salário ou função. A pessoa que era minha chefe não teve sensibilidade para perceber como eu estava virando refém daquela situação.

Por trás dos horários flexíveis, hoje, eu posso enxergar que, na verdade, eu estava disponível no horário comercial e nos outros horários também, ou seja, sempre disponível. Além dessa realidade, a possibilidade de folgar em um dia na semana para resolver problemas ou fazer alguma coisa também camuflava o que eu vivia naquele momento: zero descanso e muito trabalho.

Eu me lembro como se fosse hoje que no dia 31 de dezembro, às 20 horas, eu estava trabalhando, tentando correr para descansar entre os dias primeiro e 5 de janeiro. O meu envolvimento com aquele trabalho era tão intenso e de tanta devoção que não vi alguns anos da minha vida passando. Somente percebi que algo estava errado quando, em um domingo, saí com o meu marido para comprar alguma coisa e, neste mesmo dia, descobrimos que tinha uma área de *food trucks* perto de casa. Ali, comemos, nós dois, uma comidinha diferente. Eu me senti tão feliz com tão pouco que percebi o que estava acontecendo. Eu esqueci de viver a minha vida pessoal e a minha vida com meu marido.

Alguns chefes colocam a gente nesse vínculo profissional tóxico sem perceber o que estão fazendo – *às vezes por nunca terem passado por um cargo de subordinação* –, outros percebem, mas fingem que não sabem para conseguir tirar proveito da situação que a pessoa vive e, ainda, alguns outros, fazem isso de propósito. Surpresa! Nem todo mundo é legal e correto como você! É muito comum conhecer pessoas que não medem esforços para gerar mais lucros para sua empresa e isso inclui usar as pessoas em seu benefício, por exemplo, ao dar mais trabalho que o contratado, ou pedir trabalhos extras e favorzinhos etc.

Em um desses trabalhos, eu cheguei a acumular a função de três profissionais diferentes. Fazia tudo aquilo com muito gosto porque, para mim, não existe a possibilidade de fazer algo por fazer. Então, meu empenho era de 100% em todas as funções, o que me desgastava demais. Porém, eu estava feliz em entregar um trabalho bem-feito.

Infelizmente, o meu chefe me pagava apenas por uma das funções e as outras ele combinou comigo de pagar por hora, baseado no valor recebido oficialmente pelo registro. A cereja do bolo só apareceu quando descobri que meu salário estava desatualizado! Ou seja, ganhava menos que um colega meu que exercia o mesmo cargo – aquele que eu estava registrada –, trabalhava pelo mesmo tempo que eu, mas não se mexia para "ajudar" – *lê-se exercer funções fora do que ele foi contratado*.

Nessa hora, tomei um tapa na cara e percebi o papel de idiota no qual me coloquei. Assim, dei um basta e resolvi ir atrás dos meus direitos. A cara da pessoa que abusava do meu trabalho olhando pra mim, ao ver que eu tinha acordado, e percebendo que não poderia mais me dobrar e que não teria mais a economia de poder contar comigo pra lucrar mais, é uma imagem guardada até hoje em minha memória.

Infelizmente, eu vivi em mais de um ambiente profissional abusivo, o que infelizmente prova que tudo aquilo que vemos num relacionamento abusivo amoroso muitas vezes também acontece no âmbito profissional. Ou seja, se já passou por situações semelhantes às que descrevi, está mais vulnerável a passar por isso outras vezes. Você vai entender o porquê mais à frente, ainda neste capítulo.

O que podemos fazer quando nos vemos nessa armadilha?

Primeiro, é preciso impor limites, e avaliar a capacidade de fazer o que nos propomos a fazer. A partir daí, tentar verificar se há alguém para assessorar você ou falar com seu superior, explicando que seu trabalho ultrapassa as funções contratadas. Mostrar que está consciente de que os combinados não estão sendo cumpridos é um passo importante para se desvencilhar deste e de outros abusos. No caso de essas situações persistirem ou se não chegarem a um limite do aceitável, o ideal é começar a buscar outro lugar para trabalhar. *Pelo amor da deusa! Eu não estou falando para ninguém sair por aí pedindo demissão ou ficar enfrentando o chefe com grosseria – miga, trabalhar é importante e não quero ver você demitida –, mas sim, para tentar mudar a sua situação atual de trabalho. Aja com cautela para tentar mudar a sua vida para melhor.*

Todo relacionamento abusivo tem duas partes, a parte que abusa e a parte que, de certa forma, viabiliza este abuso. Porém, o abuso se torna viável porque quem é abusado não tem conhecimento de que aquilo é errado ou abusivo. Por isso, é preciso buscar a informação do que é saudável. Além disso, os chefes e gerentes têm de entender que os subordinados têm consciência do que é correto e do que não é. E, caso você seja chefe, tenha o objetivo em mente de como agir corretamente com quem está com você na caminhada profissional.

O equilíbrio ideal para a vida é manter um balanço entre vida pessoal, profissional e amorosa. *Sim, a vida amorosa é diferente da vida pessoal.* Eu sei que as Spice Girls, um dia, disseram que "*two become one*" (dois se tornam um), mas a realidade é que não se pode em hipótese alguma se esquecer da individualidade. As pessoas são indivíduos únicos, e todos podem ficar, namorar, casar etc., mas precisam, acima de tudo, respeitar a própria individualidade, sempre.

Então, é exatamente nesse ponto que se pode começar a falar sobre relacionamentos abusivos no amor. A individualidade é o ponto inicial de tudo. Se olhar de forma bem fria para este tipo de relação, pode-se perceber facilmente que uma das partes não abre mão de sua individualidade e quer tudo pra si, enquanto a outra parte abre mão, completamente, de sua individualidade e sua vida, para agradar o parceiro – ou a parceira.

Com base nisso, é fácil deduzir que a pessoa naturalmente abusiva vai exercer seus abusos em todos os campos da vida (amor, trabalho, amizade, família) exceto consigo mesma. Na cabeça dela, os outros estão no mundo para servi-la. Por isso, é muito comum que o abusador use técnicas certeiras para ganhar confiança, ou seja, ele se aproxima de pessoas com vulnerabilidade emocional ou alguma fragilidade momentânea.

A aproximação se dá de forma carinhosa e branda. Desse jeito, fica fácil entender por qual motivo as pessoas vítimas de relacionamentos abusivos são reincidentes.

Geralmente, elas saem de um relacionamento tão frágeis e sedentas por amor de verdade, que acabam abraçando o próximo que abrir os braços de forma carinhosa para elas. O problema é que, por azar, o próximo parceiro pode ser um abusador também.

Mas como a vítima de um relacionamento abusivo cai em outro, mesmo tendo passado por tudo isso anteriormente? Isso acontece quando a pessoa não se dá conta de que passou por um relacionamento desse tipo. Na cabeça dela, pode ter sido apenas um casamento que não deu certo ou até mesmo achar que tem culpa pelo fim e que, no próximo relacionamento, ela não vai errar de novo – o que abre as portas para "permitir" mais abusos ainda.

Um relacionamento assim tem um ciclo bem definido e comum: a fase da lua de mel, tensão, briga, reconciliação e lua de mel novamente. Exatamente assim, cíclico. A pessoa vive um ciclo parecido com o da dependência química, em que a dificuldade para se desvencilhar e romper com o ciclo tóxico é imensa.

A lua de mel é a fase em que tudo é mil maravilhas, muito amor, carinho, compreensão e companheirismo. É nela que o abusador ganha a confiança, o amor, o respeito e, acima de tudo, a dependência emocional da outra parte.

Em seguida, vêm os momentos de tensão, quando a pessoa está totalmente à vontade, ela se sente livre, bem e consegue abrir 100% da sua vida, e, neste momento, o abusador mostra que, na verdade, não gosta de algumas coisas e pede para que ela mude ou que faça diferente. Esse comportamento engloba a roupa, o jeito de falar ou rir, pode ser **absolutamente qualquer coisa**. Óbvio que, para agradar os gostos do abusador, a pessoa vai mudar. Afinal, ele é um amor, ele a ama, ele cuida dela e, principalmente: dessa vez ela não vai perder um relacionamento tão incrível!

Os momentos de tensão podem começar em casa e em pouco tempo evoluírem e se tornarem mais ousados, como um constrangimento na rua, uma briga ou uma grosseria na frente de amigos ou familiares, uma discussão em que se joga muito baixo com frases do tipo "se você não ficar comigo, ninguém vai te querer" e coisas assim.

São nesses momentos de tensão que a pessoa começa a perceber que para manter aquele relacionamento e para ele voltar a ser o que era no começo, é melhor que ela mude e faça o que o abusador quer. Nesse ponto, começam as abdicações mais sérias: deixar de ver amigos – *afinal, eles nem gostam de verdade de você, né?* –, deixar de ver a família, deixar de trabalhar, até que você deixa de ser você mesma para agradar aquela pessoa.

Facilmente, o momento de tensão vira o momento de briga, caso o abusador não fique satisfeito com o que a parceira ou o parceiro esteja fazendo para agradá-lo. É nessa hora que o abusador começa a criar problemas. Tudo aquilo que se faz, se fala, se veste, pode vir a ser uma coisa para ele reclamar ou ainda se transformar em um motivo para brigas. Então, em uma briga, o abuso se manifesta por meio de agressões físicas e/ou psicológicas. Claro que as agressões físicas chegam ao ponto alto do abuso, uma vez que deixa de ser uma coisa apenas entre o casal e se torna algo aberto a todos que o rodeiam.

Você sabia que 3 a cada 5 mulheres sofreram, sofrem ou sofrerão violência doméstica?*

Infelizmente é tão comum que talvez alguém que esteja lendo este texto agora pode estar em um relacionamento abusivo e não saiba como sair!

*dados ONU Mulheres

Não são apenas as violências física e sexual que caracterizam um relacionamento abusivo.

Existem violências silenciosas que nem sempre deixam marcas visíveis, como: a violência moral, psicológica e patrimonial.

> MENTIRA! VOCÊ É MALUCA!
> NÃO GOSTO DESSAS SUAS AMIGAS...
> NINGUÉM VAI QUERER VOCÊ.

Violência psicológica:

Qualquer ato que coloque em risco o desenvolvimento psicológico e emocional da mulher, que lhe cause danos à autoestima, à identidade ou ao desenvolvimento. Insultos constantes, humilhação, chantagem, desvalorização, ridicularização, privação de liberdade (trabalhar, estudar), isolamento dos familiares e amigos, manipulação afetiva...

Violência patrimonial, econômica ou financeira:

Quando o agressor retém bens da vítima. Por exemplo, controlar o dinheiro e definir mesada, impedindo que a vítima tenha acesso ao resto do dinheiro e, consequentemente, se torne dependente dele. Quando o agressor destrói ou vende bens pessoais, como joias, roupas, veículos, casa ou até mesmo animais de estimação.

@kaolporfirio

"ELA TÁ ME TRAINDO, ESSA P***!"

Violência moral:

Qualquer ação de difamar, injuriar e caluniar a honra ou/e a reputação de vítima.
Por exemplo, ofender a dignidade da mulher, acusar de roubo, acusar de traição, espalhar mentiras, fazer comentários depreciativos do corpo da vítima e etc.
Muitas vezes a intenção das acusações é abalar a vítima emocionalmente.

Violência física:

Qualquer ato que prejudique a saúde ou a integridade do corpo da vítima. Por exemplo, ataque físico como tapas, chutes, empurrões, socos...
Lesões com o uso de armas ou objetos, como cortes, perfurações, queimaduras... Tudo isso é violência física, mesmo que ele peça desculpas depois.

Violência sexual:

Qualquer ação que obrigue a mulher, por meio de força física, coerção ou intimidação psicológica, a ter relações sexuais ou presenciar práticas sexuais contra sua vontade.
Estupro, estupro no casamento, assédio...

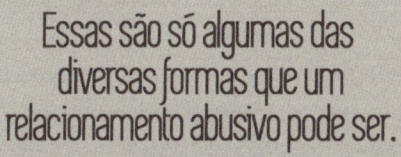

Essas são só algumas das diversas formas que um relacionamento abusivo pode ser.

Infelizmente existem muitas situações diferentes e nem sempre é fácil enxergar os abusos.
Algo que pode ajudar é entender como você se sente sobre seu relacionamento.

@kaoporfirio

A violência não é sempre física ou sexual, ela pode acontecer de diversas maneiras, por exemplo:

1) Saber o que a vítima conversa em privacidade através de apps espiões e usar isso como chantagem e manipulação.

2) Vazar nudes ou colocar fotos/vídeos íntimos em sites de pornografia.

3) Espalhar boatos na tentativa de tirar a credibilidade pessoal e profissional da vítima.

4) Se recusar a usar preservativo ou retirá-lo durante o ato sexual sem o consentimento da vítima.

5) Proibir a vítima de trabalhar, quebrar/estragar coisas que a vítima possua, ou qualquer outra atitude que acarrete na dificuldade da vítima ter independência financeira.

E, para finalizar os tipos de relacionamentos abusivos, vamos à amizade. *Sim, existem amizades tóxicas e abusivas.* Apesar de a amizade ser uma troca de confiança e carinho entre duas pessoas, às vezes, pode acontecer alguma coisa errada no meio do caminho. É muito comum ter amizades em que uma das partes se acha superior, se acha mais inteligente e mais merecedora das coisas e, por isso, acaba diminuindo a outra parte desse relacionamento. Como o abuso aparece na amizade?

Aparece fantasiado de piadas que desmerecem a aparência ou a moral da pessoa, por meio de comentários que expõem particularidades e segredos contados de uma forma que não os revelam por completo, mas que expõem o suficiente para deixar aquele climão, normalmente em grupo. É ser aquele amigo que nunca pode fazer nada, mas exige ser chamado e lembrado, ou que impõe que se faça o que ele quer.

O amigo abusador, muitas vezes, começa os abusos ao repetir um padrão do que ele vê em casa ou em algum outro ambiente recorrente. Ele percebe uma maneira de se relacionar e, consequentemente, de ter muitos benefícios. A pessoa que abusa de uma amizade é um potencial abusador em um relacionamento amoroso também.

Eu sei tão bem quanto você o quanto é difícil assumir que existem amizades tóxicas. Afinal de contas, a ideia que se tem de amigo é daquela pessoa que faz bem, puxa as pessoas para cima e ajuda os outros a serem cada vez melhores, não é? Em uma amizade tóxica essas atitudes não existem. Então o que a pessoa faz? Exatamente o contrário do que deveria fazer se fosse alguém que quisesse fazer o outro se sentir bem. Ou seja, a pessoa abusadora, em uma amizade tóxica, começa a causar na vida da outra pessoa, a deixá-la triste e fazê-la se sentir sempre em dívida com ela.

Essa pessoa costuma, por exemplo, diminuir os problemas no momento exato em que a amiga ou amigo os conta e, mais do que isso, na vida dele, sempre há algum problema maior e mais importante. Assim, quem é abusado começa a achar que o seu problema é realmente sem importância ou, até mesmo, que não pode se abrir com o seu amigo porque ele tem problemas demais.

É DIFÍCIL ASSUMIR QUE EXISTEM AMIZADES TÓXICAS

DÊ UNFOLLOW EM PESSOAS QUE FAZEM VOCÊ SE SENTIR UMA 💩

@ILUSTRAGABS

Quem abusa, na maior parte das vezes, não sabe o que é empatia e, portanto, não consegue se colocar no lugar de outra pessoa, nunca, nem nos momentos de tristeza nem de alegria; ele não tenta compreender pelo que a outra pessoa está passando. Além disso, quem sofre o abuso parece não ter importância a ponto de não haver nada a comemorar ou a lamentar. Enfim, a pessoa se sente mal porque seu problema não vale a pena ou a sua conquista não é suficientemente boa ou grande que mereça ser comemorada.

Se você se encaixou em algum desses relacionamentos: procure terapia! Vá a um psicólogo(a) para você conversar, expor seus medos. **Procure ajuda!** Esse pode ser o primeiro passo para sair dessas situações!

Por que precisamos de um relacionamento para sermos felizes?

Você se lembra se alguém já chantageou você a fazer alguma coisa e caso contrário não poderiam namorar? Eu não me lembro da primeira vez, mas me lembro que, desde pequenininha, era ameaçada a ficar sozinha. Em especial, por ter sido uma criança que não gostava de pentear o cabelo e no inverno dava trabalho na hora de tomar banho. *Hahaha.* As ameaças mais comuns eram de que nunca arranjaria um namorado se não penteasse o cabelo, ou então, de que ninguém iria querer namorar uma menina que não toma banho. *Mal sabia eu que anos depois os homens teriam cartilhas do governo para ensiná-los a lavar a genitália. Parece que as mulheres não se importavam em namorar homens que não tomam banho, não é mesmo?*

Desde crianças, são criadas nas mulheres essas ameaças de que ficarão sozinhas, sem namorado, sem marido, sem família. Cada uma dessas crenças, incutidas nas meninas, reforçam na cabeça da mulher a ideia de que são incompletas e de que sozinhas são incapazes, sem falar na heterossexualidade compulsória (onde se aplica a mulher uma única alternativa de relacionamento: com um homem). Desta maneira, floresce na cabeça dela a ideia de que precisa buscar incansavelmente pelo príncipe encantado.

Além disso, muitos contos de fadas, lidos para as meninas – para os meninos, não –, mostram uma imagem idealizada de um príncipe encantado com o qual as meninas deveriam se relacionar. Em outras palavras, o príncipe maravilhoso do conto, que tinha o poder de trazer o "felizes para sempre" na história de ninar que ouvíamos, ficava cada vez mais longe se não cumpríssemos o papel de boa menina.

Durante anos, eu vivi com a ideia de que era preciso agradar meninos para não ficar sozinha, e esse foi um dos meus maiores erros na adolescência. Quando meus hormônios começaram a ferver, mudei meu foco dos estudos para os garotos. Ainda que meus hormônios também se mexessem por outras meninas ou por mais que eu quisesse estudar, minha nova missão era namorar um menino bonito. E como eu faria aquilo? Eu nunca me identifiquei com nenhuma mulher da televisão, não me sentia representada por nenhuma mulher vista como bonita, portanto, meu trabalho seria longo e o esforço seria enorme. Afinal, eram muitas coisas para ajustar até conseguir um namorado.

Por exemplo, eu tinha de mudar meu corpo, porque me achava gorda e ser assim era visto como algo ruim. Eu tinha de mudar o jeito de falar e de rir, porque homem nenhum gostaria de estar com meninas que dessem risadas altas e que falassem muito. Eu também tinha de ser meio burra porque homens não gostavam de mulheres inteligentes – se sentem inferiores. Então, nessa época, eu validei tudo o que era necessário para ser como uma personagem da televisão e muito famosa, a Magda. Ela era vivida pela atriz Marisa Orth na comédia *Sai de Baixo* que, aliás, era a série de comédia de maior sucesso.

Magda era uma gostosona muito burra e sedenta por sexo. Todas as suas roupas eram supercurtas e sexualizadas, suas falas eram vazias de sentido e engraçadas, o que fazia os demais personagens repetirem o bordão "Cala a boca, Magda!". Hoje, olho para isso e vejo muitos padrões de comportamento em relacionamentos que colaboraram para ensinar coisas erradas para muita gente, infelizmente. Mesmo sendo uma obra de ficção, eu era uma menina nova "aprendendo" aquilo. Porém, a boa notícia é que podemos mudar! *Pelo menos é o que estou tentando fazer aqui! Hahaha*

No entanto, independentemente de qual fosse a mídia ou a história – contos de fadas, comédias contemporâneas, novelas, filmes, livros –, parecia que tudo apontava para a mesma coisa: as mulheres precisam de um homem para serem 100% felizes e bem-sucedidas! Se pararmos para pensar, não parece tão difícil, né? Mas a vida começa a mostrar que, na verdade, não é tão fácil assim, porque as imposições do que os homens esperam das mulheres são tão grandes – uma lista sem fim – que acabam dedicando quase todo tempo nisso!

Homens querem mulheres sem pelos

Os homens exigem o fim dos pelos às mulheres como se elas fossem meninas antes da puberdade. Enquanto isso, eles podem ser verdadeiros exemplares do Chewbacca. A ideia é que as mulheres têm de ser lisinhas e macias, como se nunca tivessem crescido e virado adultas. Essa situação para uma menina com muitos pelos é um castigo e um motivo para chorar e achar que nunca vai arranjar namorado, além de nunca querer ir à piscina ou ir cheia de paranoias. *Isso é um saco! Como se nunca fosse possível estar 100% à vontade com o que se é de verdade.*

A mentira disseminada de que a mulher não tem pelos é algo muito insano, pois é comum aparecer como verdade em filmes, por exemplo. Quantas produções existem, em que há pessoas peladas em ilhas, e as mulheres aparecem com sovaco peludo? Nenhuma! Revistas e propagandas de lâminas, inclusive, mostram meninas depilando pernas sem pelo! Afinal, se houvesse pelos ali, seria um nojo!

Homens querem mulheres magras, mas não muito

"Não vá engordar porque homem não gosta de mulher gorda!", dizem. Mas o fato é que também não pode emagrecer muito porque "homem gosta de ter onde pegar". Frases tão comuns que são normalizadas, e passam a fazer parte do dia a dia. Muitas vezes, fala-se sem pensar e ouve-se sem se ofender.

Enquanto isso, o homem permanece tranquilo com um passe livre dado pela sociedade para não atender padrões.

Afinal, o homem com barriga tem "barriguinha de chope"; o homem careca é bem-visto porque "é dos carecas que elas gostam mais"; o homem com nariz grande é "atraente e tem cara de homem rico"; o homem com pé grande é "um homem bem-dotado". Parece que para cada característica que saia do padrão de beleza, o homem tem uma justificativa ou um aval para não se sentir mal e pressionado por estar fora do que é socialmente considerado bonito.

Pare uns segundos e pense se já viu algum homem sendo estimulado a gostar de uma mulher por algo que fosse além da aparência dela? Se a resposta é positiva, você é privilegiada, sim. O que há além da aparência parece estar sempre em segundo plano. Isto é, depois de ser bonita, gostosa e jovem, a mulher tem que ser bom-caráter, fiel e bem-humorada. Será um sonho utópico acreditar que um dia os homens se apaixonarão pelas mulheres do mesmo jeito que desejam que elas se apaixonem por eles – pelo caráter e pelo que são por dentro?

Essa questão que envolve o homem e a aparência foi um tormento muito grande na minha vida. Eu vivia à base de remédios, moderadores de apetite, academia e termogênicos para ser magra e não perder o namorado. Então, para desconstruir essas ideias na minha vida, recebi bastante influência do meu marido, pois ele me tranquilizava ao falar que preferia me ver sem tomar remédios independentemente de como eu ficaria. Quando paro para pensar nesse processo, percebo que tinha tanta preocupação com aquilo que ele pensava de mim que consegui me desconstruir somente depois de ele conversar sobre isso comigo. O meu nível de amor-próprio estava muito baixo e o meu ódio por mim mesma era enorme.

Homens querem mulheres novas

Sem rugas, sem pelos, sem pele sobrando, sem cansaço, com energia da juventude. Se eu pedir para imaginar uma mulher bonita, eu duvido que pense em uma mulher com mais de 40 anos. A beleza da mulher vem de mãos dadas com a juventude e a pouca idade, diferentemente do que acontece com os homens. Já reparou? Pense como seria se as pessoas ovacionassem sexualmente uma atriz de mais de 50 anos como é feito com os atores Tom Cruise, George Clooney etc. por tanto tempo?

Não é à toa que mulheres são sempre lembradas por "amadurecem mais cedo do que os homens". Que oportuno, não? Em outras palavras, as mulheres novas podem se relacionar com caras mais velhos porque ambos são igualmente maduros, apesar da idade. Assim, a sociedade chega a aceitar certos casais em que a menina tem 14 anos de idade e o cara, 21. Sem contar que esse amadurecimento precoce vem em forma de elogio! Como ninguém percebe que isso também significa a falta de maturidade masculina?

Porém, já ouviu o que se fala de mulheres mais velhas que namoram caras mais novos? Há grande resistência e, para algumas pessoas, é completamente inaceitável, pois o "novinho", estaria perdendo tempo com uma mulher mais velha porque logo ela estaria caindo aos pedaços e seria incapaz de ter filhos, na época em que ele estaria no ápice da juventude.

Essa premissa de que amadurecemos mais rápido ainda dá mais uma vantagem aos meninos, como uma espécie de passe extra para eles continuarem vivendo a vida sem ter de amadurecer, tomar decisões, crescer e sair de baixo das asas dos pais. O homem, simplesmente, pode ser um garotão para sempre! Lembrando que ele será um garotão apenas pela (falta de) maturidade, porque na aparência, a pressão sofrida para não envelhecer não é nem metade do que as mulheres sofrem diariamente.

Está pensando que é exagero? Em uma perfumaria ou num catálogo de cosméticos quantos cremes antienvelhecimento têm comunicação voltada para as mulheres e quantos voltada para os homens? Posso garantir, sem nem saber qual catálogo ou loja de cosméticos escolheu, que 95% dos cremes antirrugas e antienvelhecimento são direcionados às mulheres.

Homens querem mulheres quietas

Mulheres não puderam receber educação por muitos anos da história. Elas eram "reservadas" para ajudar nos cuidados com a casa e com os irmãos, para, desta maneira, poderem encontrar um homem bom e se casar, e assim cuidar da casa, do marido e dos filhos. Longe da escola, as mulheres não aprendiam a ler, escrever ou fazer contas e, por causa disso, eram consideradas ignorantes ou burras.

Em pleno 2019, mesmo com a inclusão de mulheres no ensino – ainda existem países em que mulheres não podem frequentar escolas –, este estereótipo ainda perdura em piadas e brincadeirinhas tendenciosas. A verdade é que essa descontração toda é como lenha na fogueira para atrapalhar a igualdade profissional entre os gêneros. Essa é uma das raízes do porquê a mulher não ocupa muitos cargos altos nas empresas, não tem o mesmo salário, porque são mais sentimentais enquanto os homens são mais racionais.

Antigamente, o espaço para a mulher falar, provavelmente, era impedido pelo homem porque ele não queria passar vergonha ao deixar alguém sem estudo comentar algum assunto. Logo, o homem preferia que a mulher fosse quieta, comportada e recatada. Também por isso, estabeleceu-se uma superioridade intelectual.

Muitos homens utilizavam essa vantagem para poder enganar a mulher sem serem questionados, o que os fazia temer mulheres inteligentes, visto que elas não eram ludibriadas e enganadas com facilidade. Então, assim como todo estereótipo sexista, este também permaneceu socialmente e, até hoje, mulheres muito inteligentes são malvistas por serem sozinhas e sem maridos e por terem escolhido a profissão e não o relacionamento.

Afinal, homens gostam de mulheres?

Quanto mais eu tento entender a sociedade e as desigualdades entre os gêneros, mais eu me pego pensando: "será que os homens heterossexuais gostam de mulheres?". Eu acho que gostam, mas se sentem fortemente ameaçados por elas. Parece que o medo é de que, ao pedir a igualdade entre os gêneros, eles serão tratados com inferioridade – da mesma maneira como eles tratam as mulheres faz anos.

Os homens heterossexuais também têm medo de ter uma mulher desconstruída o suficiente para não querer seguir estereótipos que apresentam maior conforto possível para eles no alto do relacionamento. Há medo de que as mulheres os coloquem para cuidar dos filhos ou limpar a casa, como se essas fossem tarefas ruins ou inferiores. É nessa hora que percebemos o que eles realmente pensam de nós! Se nos vissem com igualdade, não temeriam estar em nossos papéis sociais.

Esse medo bobo e descabido não vem de hoje! Reparem como desde os primeiros movimentos de empoderamento feminino, as feministas recebem as mesmas críticas e piadas cujo conteúdo mostra os maiores pavores dos homens.

É cada vez mais comum o questionamento sobre as pontes que se constroem entre homens e mulheres e, mais do que isso, como elas se mantêm. O homem que é emocionalmente sensível, sofre e lamenta, sentindo, com isso, sua masculinidade questionada ou posta em xeque, o que colabora ainda mais para a manutenção do machismo no mundo. Por tudo isso, entender o discurso feminista é urgente e necessário, chegando a ser uma questão de autocuidado e sororidade para além da questão pessoal. Quer saber como? Venha comigo encerrar este livro com chave de ouro!

6
AUTO-CUIDADO PARA DESCONSTRUIR

Autocuidado parece ter virado a palavra da moda desde 2018. Quem não ouviu o termo ou não se viu em uma situação de enaltecimento do cuidado próprio, certamente, estava no mundo da lua com o Lucas Silva e Silva! Hahaha!

Parei um pouco para pensar sobre o assunto no contexto em que vivemos e a necessidade de falar, insistentemente, de um cuidado voltado a nós mesmos. Será que a sociedade chegou a um caos tão profundo em que as pessoas sequer têm tempo para pensar em si mesmas, na saúde física e mental, a ponto de ter de consumir um conteúdo específico para lembrar disso?

Parece que sim. A sociedade vem adoecendo e não é de hoje. Durante todo o livro, tratei de uma das grandes problemáticas do mundo, a desigualdade entre os gêneros e a injustiça que isso trouxe com os anos. Assim, pensar em autocuidado no contexto feminista é uma forma de luta, fortalecimento e conexão. Por que é necessário entender sobre feminismo? Por que é preciso cuidar da saúde, da mente e do intelecto?

A resposta está no autocuidado, na sororidade, na desconstrução do machismo, do *status quo* no qual se vive. Portanto, autocuidado é manifestação de poder e desconstrução de barreiras. Ou seja, vai muito além de passar um creminho no rosto antes de dormir, o autocuidado é exatamente aquele momento em que você dá prioridade ao seu bem-estar, aos estudos, à leitura de um livro, ao momento de desenhar, à assistir a alguma coisa de que gosta, à prática de exercício, à sessão de terapia etc. Enfim, todas essas atividades possuem a mesma finalidade: mimar a si mesma!

Diariamente, a mulher é cobrada para ser altruísta e buscar fazer o bem, apesar disso, durante muito tempo eu sequer pensei em como aplicar isso a mim e me agradar. Minha vida girava em torno de fazer coisas que ajudassem apenas as demais pessoas. Eu era aquela pessoa que, em vez de estudar para a matéria que tinha mais dificuldade, ajudava os outros explicando as matérias que eram mais fáceis para mim.

Então, por muito tempo, fui extremamente relapsa com minha saúde física e mental e hoje corro atrás disso, porque não há nada mais incrível do que ter um corpo que corresponde às suas vontades e seus impulsos. E, por isso, se não há cuidados com você mesma, o corpo enferruja! Hoje, percebo o quanto me dediquei aos outros e não reservei nem 1% desse tempo para mim.

Portanto, aposte no que faz bem a você, por mais idiota ou infantil que pareça. Eu, por exemplo, amo fazer artesanato e isso realmente faz bem para mim, então, é isso que faço de tempos em tempos! Se cuidar de plantas faz bem a você, coloque plantas na sua casa e na sua vida, cuide do seu jardim uma vez por semana. Não deixe você para depois. Pode parecer bem clichê, mas até na frase "eu te amo", o "eu" vem primeiro.

Quando se pensa em desconstrução, trata-se de libertar as pessoas de coisas que as assombraram e as prenderam por anos, e entender que a mulher não é culpada de coisas pelas quais atribuíam-lhe culpa.

No fim das contas, as mulheres estão cansadas de ter que correr atrás de padrões de beleza para que os outros as admirem pela aparência. Então, no meio dessa corrida, as mulheres vão desistindo, algumas bem no início da jornada, outras apenas quando estão mais perto do sonho, e outras, ainda, chegam no sonho do padrão de beleza, mas percebem que não vale a pena todo esforço para chegar a essa imagem, e não podemos deixar de dizer que infelizmente muitas morrem nessa jornada com procedimentos como cirurgias plásticas, bioplastia e intervenções estéticas. Enquanto isso, a outra metade da sociedade usa este mesmo tempo para se dedicar a sua profissão, *hobbies* ou qualquer outro autocuidado. Afinal, tentar agradar os outros por meio da aparência ou do comportamento e ir contra o que se quer é um desperdício de tempo e esforço! Use esse tempo para você, e não para os outros!

No momento em que se toma a decisão de ocupar o próprio tempo com atividades voltadas a si, muita coisa começa a fazer mais sentido e se encaixar na vida. E aí, ao chegar nesse nível de autocuidado, toma-se consciência do seu próprio papel, do que você pode aceitar e daquilo que precisa de transformação.

A sociedade é capaz de produzir discursos que ferem e transformam negativamente a vida de uma mulher. Porém, os homens, ao contrário do que se pensa, também podem ser vítimas da masculinidade tóxica e do machismo

Algumas afirmações também pressionam o comportamento masculino, como: "homem não chora", "homem que é homem não abraça outro homem", "homem não leva desaforo para casa", "homem não deixa barato", "homem não gosta de fazer coisas de casa", "homem não usa rosa", e por aí vai.

Se você nasceu nos anos 1990, provavelmente, ouviu essas frases. Essa série de determinações de condutas sociais que o homem carrega se chama masculinidade tóxica. O homem cresce em uma sociedade machista e, por isso, também sofre as consequências disso. Então, o movimento de muitos deles é, ao acreditar nas determinações de gênero, migrar da masculinidade tóxica para a frágil, pois, caso se vejam em situações mais próximas do feminino, sentem-se fragilizados em sua masculinidade – se sentem menos homens.

Masculinidade frágil: coisa de mulherzinha e coisa de gay

Quando se discute a questão da igualdade entre os gêneros, brotam "analistas do IBGE" – *só que não* – falando para as mulheres que é bobagem tratar de tais questões, pois já é 2019 e, portanto, a igualdade existe há muito tempo. Além disso, falam que feminismo e direitos LGBTQI+ são desnecessários porque a sociedade é igualitária.

Mas a pergunta que não quer calar é: se somos tão iguais, se homens e mulheres – independentemente da orientação sexual – são vistos pela sociedade como iguais, por que alguns homens se sentem tão ofendidos quando comparados a uma mulher? Por que ainda usamos frases como "ele faz isso que nem mulherzinha" para indicar que aquela atividade é feita sem garra, sem força ou sem pegada?

Neste caso, também dá para substituir o termo "mulherzinha" por "viadinho".

Determinar que mulheres ou LGBTQI+ sejam usados como comparativo de inferioridade e como ferramenta para diminuir o trabalho de alguém é a prova de que não existe igualdade. Então eles dizem: "Mas as mulheres agora podem trabalhar, estudar, votar... como você vem me dizer que não temos igualdade?". De fato, hoje, temos acesso a tudo isso, mas a maneira pela qual as mulheres são vistas socialmente não comprova igualdade nenhuma.

Se houvesse igualdade de verdade, os pais, por exemplo, seriam cobrados pela criação dos filhos tanto quanto as mães são, as mulheres teriam a liberdade de poder escolher ter cabelo curto ou longo sem serem submetidas a uma enxurrada de comentários, ou seja, mesmo que elas possam escolher, a sociedade ainda julga seu comportamento. Logo, é aí que mora a desigualdade, apesar de a teoria indicar direitos iguais, na prática, as mulheres ainda são julgadas pelas suas escolhas e pela maneira de viver a vida.

E é por causa dessas percepções que o mundo tem sobre as mulheres que nasce a masculinidade frágil, pois ser mulher ou LGBTQI+ é visto de maneira pejorativa nesta sociedade. Alguns homens – infelizmente a maioria – se desesperam apenas ao chegar perto de itens considerados femininos. Alguns deles chegam ao extremo de sequer se limparem depois de usarem o banheiro, porque, segundo eles "quem mexe na porta de trás é gay", e caso se limpem demais estarão sendo gays.

O uso do cor-de-rosa é outra questão. Muitos homens se recusam a usar a cor porque associam-na à mulher ou, novamente, ao gay. Outra manifestação comum é quando são questionados se querem se submeter a procedimentos estéticos. Nesse momento, os homens logo sacam o argumento que explica tudo isso: "eu sou homem, não preciso disso".

Em outras palavras, é como se abraçar um amigo, limpar a bunda, usar roupa rosa, chorar, elogiar outro homem, se emocionar fizessem os homens trocar de gênero ou se apaixonar por homens. A maneira como eles protegem o "ser homem" é tão surreal que escancara de vez o que realmente acham sobre ser mulher e sobre ser LGBTQI+.

Quando me deparo com cenas de masculinidade frágil, eu amo questionar o homem, com perguntas assim: "você acha ruim ser mulherzinha? Por quê?", "Você acha que vai gostar de outro homem se usar óculos femininos?" etc. Acho interessante poder "esfregar na cara" deles o próprio preconceito, para que se escutem e possam perceber o quanto são retrógrados.

MULHER MACHISTA

"Pior coisa que existe é mulher machista!", dizem. Não, minha amiga e meu amigo, a pior coisa é o machismo mesmo. O machismo encontra sustentação há tantos anos porque traz muitos benefícios e privilégios aos homens – mesmo que muitos não tenham consciência de que são beneficiados. Por isso, é possível afirmar tranquilamente que nenhum dos benefícios do machismo contemplam a mulher.

Vamos imaginar como seria se as mulheres pudessem viver sua liberdade sexual sem ninguém questionar sua índole, e quando alguém o fizesse seria dito: "mulher é assim mesmo". Ou, então, fazer uma coisa errada e alguém "passar o pano" dizendo em tom de amizade que "as mulheres são eternas garotas, não vamos levar isso tão a sério". Para quem está achando o sonho irreal demais, basta substituir a palavra mulher por homem e tudo passará a fazer sentido. O machismo é tão arraigado na sociedade que, por muito tempo, as mulheres também acreditaram nesse discurso e, mais do que isso, endossaram a manutenção dele.

Quem tem irmão, provavelmente viveu, ou você pode ter visto alguma amiga vivendo em uma casa onde o irmão ficava assistindo à televisão e jogando *videogame*, enquanto a irmã arrumava o quarto, fazia comida e ajudava a mãe com os trabalho de casa. Outra situação comum é o homem não perder vagas de emprego por ser pai ou ao retornar da licença paternidade. Além disso, o homem não é marginalizado se tiver um nude vazado ou uma *sex tape* exposta, mas o contrário disso, pois, às vezes, por causa dessas coisas, ele é enaltecido pelo amigos. Também é o homem quem tem mais chances de ocupar cargos importantes nas empresas e, digo mais, tem mais possibilidade social para ter profissões consideradas bem-sucedidas, como: médico, advogado, engenheiro e presidente de empresa.

O fato de quase todos os exemplos de empregos "importantes" serem representados na mídia na figura de homens, proporciona mais segurança para meninos desejarem estudar para ocupar cargos grandes. Essas ideias são construídas desde crianças por meio dos brinquedos. Geralmente, o que acontece é que os meninos ganham brinquedos voltados às grandes aventuras, ao raciocínio e à imaginação, como robôs, naves, carros e laboratórios; enquanto as meninas ganham brinquedos voltados à maternidade, à beleza e à limpeza, como ursinhos, panelinhas, tábua de passar roupa, casinha, boneca bebê, *kit* de maquiagem etc.

Como foi discutido, esses segmentos de gênero influenciam muito na hora de sonhar com as profissões, ao ser comum presentear o menino com um brinquedo de médico, e a menina não. Esse funcionamento existe porque a vida é baseada em uma criação e educação com viés machista.

Então, exatamente por tudo isso que, para mim, é inaceitável a afirmação "mulher machista é a pior coisa!", porque o machismo não ajuda nenhuma mulher. No entanto, existem mulheres que reproduzem discursos machistas, por acreditarem que o mundo seja assim mesmo. Além disso, não só acreditam, como também não tiveram contato com outras ideias, pois viveram a vida toda em um ambiente que enaltece o machismo e subestima a capacidade da mulher. E, como já se sabe, fez as mulheres aceitarem tudo o que ouviam, viam e viviam. Portanto, as mulheres que endossam esse discurso precisam ser orientadas, e não segregadas (mas deixo claro que não devemos passar pano e nem manter perto da gente quem não quer nosso bem e quem quer sabotar nossa luta porque não a vê com bons olhos). Elas podem estar bastante equivocadas acerca de outras mulheres, em especial, das que têm ideias contrárias, mas, na minha concepção, a única coisa que salva pessoas com pensamentos antiquados é a informação e a orientação!

As feministas odeiam os homens?

Eu ouvi tanto essa pergunta que perdi a conta de quantas vezes foram. Mas, cada vez que esse assunto é abordado, eu fico bastante preocupada em como as pessoas olham para a igualdade dos gêneros.

O episódio aconteceu comigo, quando, durante uma viagem, precisei pegar um táxi e o taxista ouviu minha conversa com o Rodrigo, meu marido, que trabalha comigo. Acho que algum detalhe da conversa despertou a curiosidade dele a ponto de me perguntar qual era meu trabalho.

Respondi que tinha um canal no YouTube e, em seguida, ele me perguntou sobre o assunto do canal. Eu logo respondi: "empoderamento feminino". Ele, com um olhar abismado, me perguntou: "então você é uma daquelas feministas que odeiam os homens?".

Me impressionei com o fato de existirem pessoas que ainda têm esse raciocínio estranho de que para dar poder às mulheres, é preciso retirá-lo dos homens.

Feministas não odeiam os homens! Elas apenas se desconstroem e, assim, são capazes de entender de onde vêm os privilégios dos homens perante a sociedade. Desta maneira, compreendem que maquiagem é uma forma artística, mas que algumas pessoas são capazes de enxergar apenas como algo para tornar as mulheres mais atraentes aos olhos dos outros. Entendem também que a depilação deve ser uma opção, e não obrigação – por mais que muitas pessoas não tolerem mulheres com pelos – e que há muito mais do que aparência. As feministas entendem que a mulher foi prejudicada em seu direito à educação, ao trabalho, à política, ao corpo etc. Mas, apesar de tudo, elas não se vitimizam. Muito pelo contrário, batem de frente com o conservadorismo e assumem papel de protagonistas na luta dessa desigualdade. As feministas querem informar o mundo que há uma injustiça acontecendo entre os gêneros e que é preciso rever algumas convicções para que o funcionamento das sociedades seja de maneira igualitária.

Apesar deste acúmulo de informação e argumento, muitas pessoas ainda veem o feminismo como manifestação de ódio. Ao que tudo indica, ninguém quer parar de ter suas regalias veladas, e logo se posicionam como vítimas. Mas, na verdade, o que as feministas estão fazendo é o oposto, pois apresentam ao mundo e às outras mulheres alternativas para a vida, como não existir profissões de homem e de mulher, e que a vida sexual da mulher não seja fator determinante para que ela seja levada a sério ou não. Mas, principalmente, que a mulher é um ser humano e não uma coisinha bonitinha para ser usada por outra pessoa.

Ao invés de gerar este ruído de que feministas e homens não existem juntos, os homens deveriam tentar entender que elas evoluíram muito nos últimos tempos e que, manter um pensamento retrógrado de mil anos atrás, não vai levar ninguém a lugar nenhum.

O que eu vou fazer com a tal sororidade?

> ### Como aprender a ter sororidade?
>
> 1. Preste atenção e analise a situação antes de atribuir a culpa de algo a uma mulher.
>
> 2. Não rivalize com uma mulher apenas por ela ser mulher!
>
> 3. Escute outras vozes e entenda que somos mulheres diferentes por isso temos experiências diferentes.
>
> 4. Uma mulher pode sonhar coisas diferentes do que você sonha.

A sororidade é uma coisa que ainda gera muito questionamento pelas mulheres. Logo de início, nós éramos levadas a não pensar em situações boas com mulheres que apoiam outras mulheres. O que se pensa é em uma mulher sendo feita de trouxa por outra, mas que releva a situação por causa da sororidade.

Geralmente, as pessoas que não apoiam a sororidade – e acham que seja algo sem fundamento porque acreditam que as mulheres se ajudam o suficiente – são as mesmas pessoas que cobram um posicionamento de sororidade quando uma feminista repreende uma mulher. Ou seja, usam a palavra e o conceito quando convém.

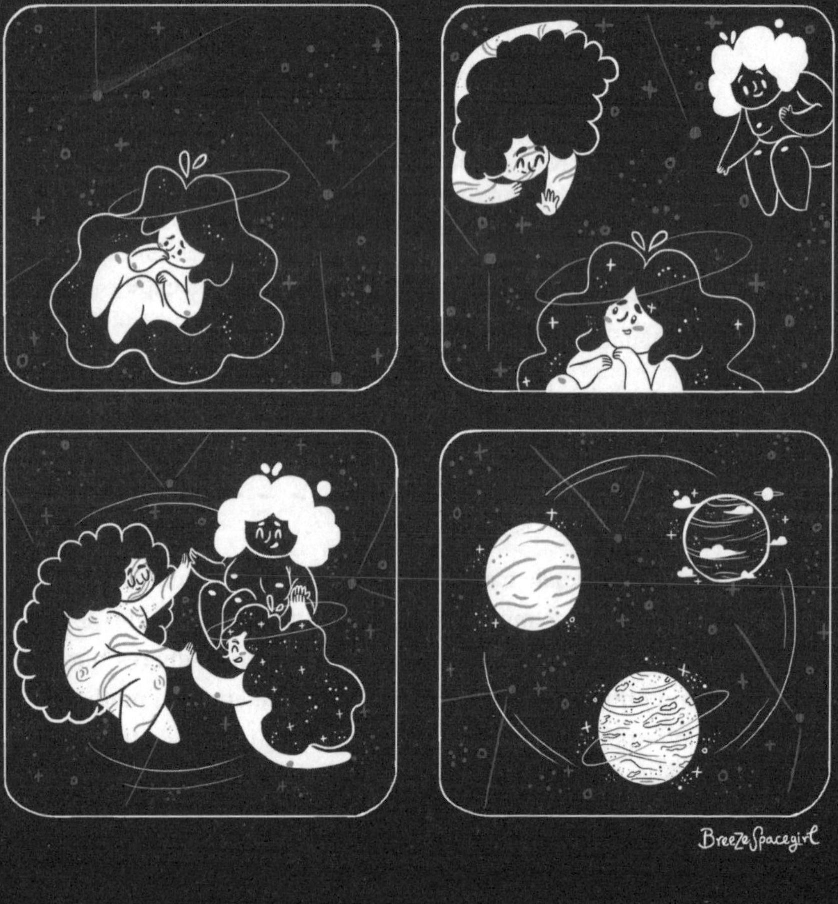
BreezeSpacegirl

Então, é preciso entender que existem pessoas ruins independentemente do gênero, ou seja, as mulheres podem, sim, ter um caráter duvidoso, agir mal e fazer mal a outras mulheres, assim como os homens e todos os membros de uma sociedade, não importa a orientação sexual, o gênero, a etnia ou a posição econômica. De qualquer maneira, essas questões de caráter não devem entrar no mérito da discussão da causa feminista, política e social. O que eu trouxe para discutirmos neste livro são os males sociais, que foram cultivados pela organização social, não aqueles cultivados, individualmente, pelas pessoas.

Se uma mulher coloca barreiras a uma luta que beneficia outras mulheres, ou ela usa essa luta de forma imoral para se beneficiar, ela não é uma aliada. Ou seja, não se pode simplesmente ignorar ou relevar tudo que ela faz apenas pelo fato de ela ser mulher.

O feminismo, por sua vez, não é o oposto do machismo como muita gente diz, mas sim a luta e a percepção de mulheres que entenderam quão prejudicadas são por causa de preconceitos relacionados ao gênero e que querem adequar o funcionamento da sociedade, por meio das oportunidades de trabalho e, principalmente, da liberdade de ir e vir sem ter medo ou sem se sentirem fragilizadas.

Apoiar o feminismo e aceitar a sororidade está compreendido no mesmo movimento de promover o autocuidado, a autoaceitação e se manter preservada diante de comentários e situações machistas. O autocuidado leva a estabelecer relações sinceras de amizade, de apoio e de troca com outras mulheres; é cuidar-se, é amar-se, é ter uma rede de apoio, e é propagar o feminismo.

VAMOS SEGUIR JUNTAS?

Quantas vezes escuta-se que a mulher precisa amar o próprio corpo, com celulites, estrias, culotes, gordurinhas do sovaco etc.?

Mais uma vez foca-se tanto na aparência, que amar a própria essência, e principalmente a mente, é uma tarefa deixada de lado. Quantas mulheres não vivem em uma eterna montanha-russa que oscila entre estar bem e estar mal? Se amar e se odiar? Pelos relatos que já ouvi, muita gente diz – e sinceramente preferi acreditar – que essa montanha-russa nunca vai deixar de existir, mas pelo menos há chances de ser menos drástica, ou de ter mais tempo no topo! Mas, assim como no brinquedo, ficar por cima dá medo.

Você já foi a uma montanha-russa, daquelas bem doidonas? O frio na barriga começa logo na fila. Antes de andar, tudo é uma festa e todos estão felizes. Porém, conforme se chega perto da montanha-russa, as pessoas percebem os detalhes das curvas, das quedas e as reviravoltas. Nesse momento, o pavor toma conta! Então, o caminho mais assertivo é desistir, mas há certa vergonha nessa decisão, porque há alguns amigos que também vão e estão superempolgados, com zero medo e sem ansiedade.

Mas, a maioria das pessoas que saem da montanha-russa está feliz, risonha e querendo passar de novo pela experiência. Há outras pessoas – poucas – que não gostaram do passeio e, tudo bem, porque as carinhas felizes da maioria causam empolgação novamente.

Quando chega a sua vez, há uma série de alternativas que você pode seguir:

- sair correndo;

- seguir em frente;
- ficar paralisada e conformada em ficar no mesmo lugar.

Eu diria que sair correndo ou ir em frente para mim é quase a mesma coisa, porque você tem de tomar coragem em ambas as situações. É preciso ter muita coragem para sair correndo na frente de todo mundo ou para ficar e encarar seu pânico.

A primeira escolha mostra que você é muito verdadeira consigo mesma, se não quer fazer uma coisa, não tem ninguém que obrigue você a fazer, e dane-se quem vai rir da sua desistência no último momento. Desistir não é coisa de gente perdedora, corpo mole etc., mas sim um ato de coragem, pois tomar a decisão de desistir é tão drástica quanto a decisão de continuar. Eu gosto de dizer que se você tem coragem para desistir, possivelmente tem coragem para continuar.

Na segunda escolha, mostra que você teve a coragem de confrontar o medo, a ansiedade, o pânico, e conseguiu prestigiar uma novidade ao encarar o novo.

Por fim, se você chegou até a montanha-russa e não foi porque ficou paralisado de medo, você com certeza não usou da coragem que tem e deixou outras pessoas decidirem algo em seu lugar.

Por que a montanha-russa é minha mente?

A analogia da montanha-russa se aproxima bastante do funcionamento da nossa mente, da nossa vida, do nosso interior. Toda e qualquer fase da nossa vida começa em ascensão. Você começa a crescer e, portanto, a subir e, aos poucos, nem percebe o quão alto está alcançando.

Quanto mais para cima, mais devagar o carrinho começa a ir, até que de tão devagar ele para e, nessa hora, percebe-se a altura que chegou! E isso choca muito! Muitas vezes sobe-se muito alto, sem nem se dar conta, e muitas vezes a cabeça nem acredita na capacidade de ir tão alto!

Assim, você passa um tempo no alto, vendo tudo o que tem à sua volta, analisa muito sua altura e sua coragem. Depois, vem a queda livre, e essa é a hora que você se joga, mas não significa que está fracassando, quer dizer que está se arriscando com algo. Logo, espera-se que a próxima subida venha logo e, dessa vez, mais rápida e mais impactante. Você sabe que ela pode não ir tão alto, mas espera por algo novo.

Porém, a hora da frustração também acontece, quando depois da queda não há a subida esperada, e o caminho é lá embaixo. O que passa pela cabeça nesse momento é a lembrança de todo o percurso que subiu e da vista lá de cima. A subida, a pausa no topo, a queda livre, todos os altos e baixos fazem parte da nossa vida. Quanto mais atentos estamos a como nos sentimos e como lidamos em cada um desses momentos, mais temos ferramentas para nos respeitar e nos cuidar.

Portanto, além de amar sua aparência, também é preciso se amar por dentro. Ame sua cabeça! Ame sua mente! Trate-a bem, faça terapia, converse, troque ideias e informações com outras pessoas. Não deixe seu amor-próprio voltado apenas para a aparência.

Ser mulher nos dias de hoje é uma mistura de "olha o quanto avançamos" e "olha o quanto ainda falta"; porém o mais importante é que saibamos as origens das coisas que nos oprimem para que assim essas coisas deixem de ser monstros desconhecidos e passem a ser obstáculos a serem ultrapassados. **A informação é a nossa principal arma de desconstrução**, passe o que você sabe adiante e ajude as pessoas a sua volta a se desconstruírem também!

NÃO DEIXE SEU AMOR-PRÓPRIO VOLTADO APENAS PARA A APARÊNCIA

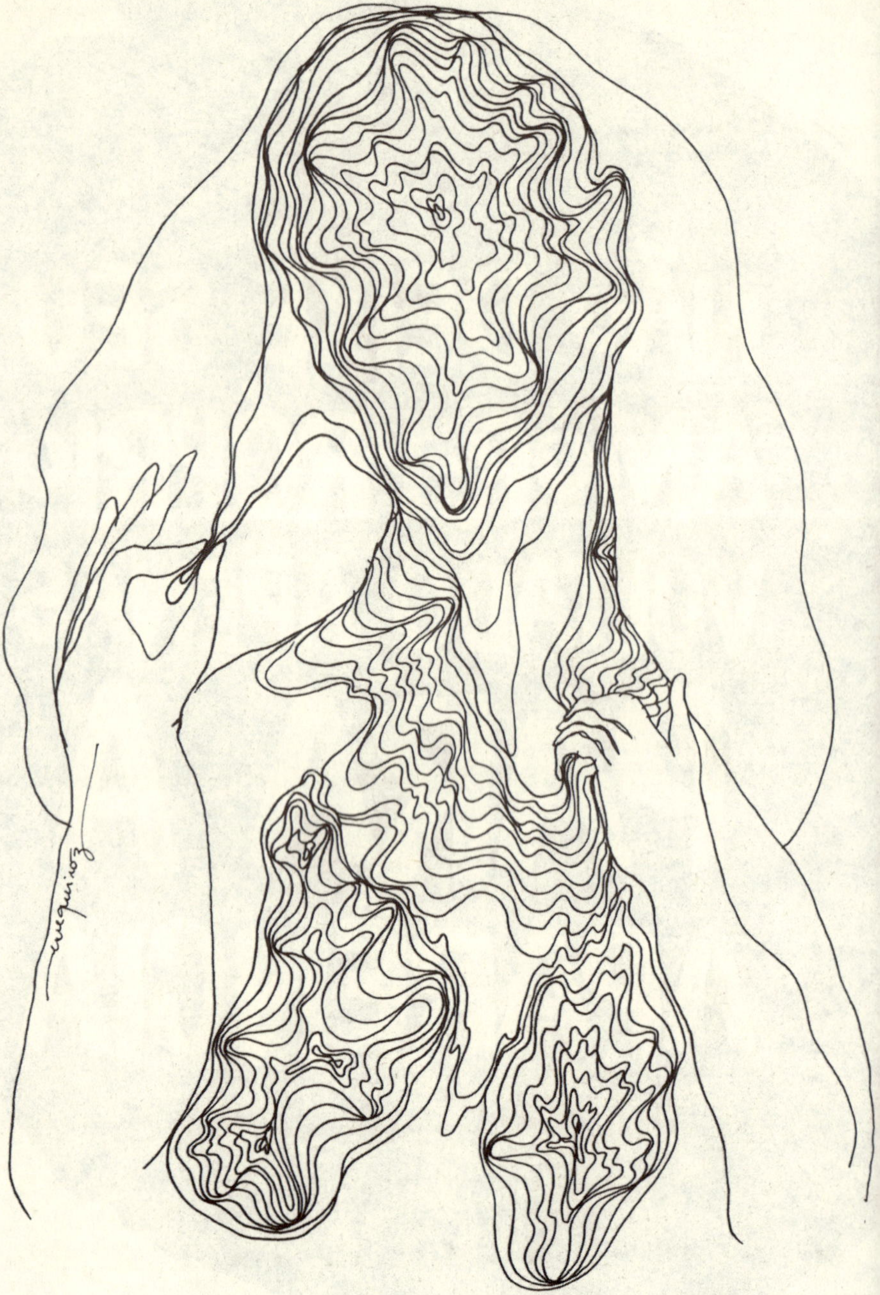

AS MULHERES INCRÍVEIS QUE FIZERAM ESTE LIVRO

✧ FILIPA DAMIÃO PINTO • CAPA

Pipa, para os amigos, é designer, portuguesa, formada em Design de Comunicação pela Universidade de Belas Artes de Lisboa. Mora em São Paulo há 5 anos. Sob forte influência das cores e vibrações do Brasil, aprimorou seus super poderes como designer gráfica. Eles vão desde identidade visual até ilustração, passando por tipografia, design editorial e branding. Fez recentemente as capas dos livros *Por que lutamos* de Manuela D'ávila e *Mulherzinhas* de Louisa May Alcott (ambos da editora Planeta), fundamentais para o fortalecimento da causa feminista. Se lhe perguntam porque mora no Brasil, responde o óbvio: carnaval, pão na chapa e Maria Bethânia. @Filipa_

✧ ELISA RIEMER • ILUSTRAÇÃO

Elisa Riemer é artista gráfica, artivista e amante. Constrói sua arte em meio à própria autodescoberta e coloca em suas imagens toda a sensibilidade da arte de adentrar o próprio universo. A complexidade das relações entre mulheres, do amor e das muitas sensações que ele desperta são descritas em símbolos, montagens, trabalhos de colagens e fotomontagens. Conheça mais em https://www.elisariemer.com.br

✧ CAMILA PADILHA • ILUSTRAÇÃO

Camila Padilha, carioca, é autora da webecomic Aliens of Camila, uma série de quadrinhos ácidos feministas que já conquistou cerca de 400 mil seguidores nas redes sociais. Camila já participou de duas edições da CCXP, teve suas tirinhas expostas na exposição de quadrinhos do MIS e foi indicada ao prêmio HQ MIX na categoria Web Tira. Você pode conhecer mais do trabalho dela por meio do ig @aliensofcamila

✧ EVE QUEIRÓZ • ILUSTRAÇÃO

Eve Queiróz começou seu projeto artístico intitulado NEGAHAMBURGUER em 2009 através do graffiti e, com o passar do tempo, foi explorando outras técnicas e formatos como o lambe-lambe, sticker, aquarela e tattoo. Seu trabalho proporciona oportunidades de estar em contato com as mulheres que retrata e que se sentem representadas, assim tendo referências reais para sua produção. Cada conversa que acontece enquanto está pintando ou tatuando é muito importante para seu desenvolvimento artístico. Atualmente tatua em São Paulo no Artemísia Ink (@artemisiaink), produz murais e ilustrações em técnicas diversas. Saiba mais da artista em @evequeiroz_

✧ KAOL PORFIRIO • ILUSTRAÇÃO

Carolina "Kaol" Porfirio é uma profissional da arte e seu projeto de maior reconhecimento é Fight Like a Girl, onde ilustra mulheres e garotas da cultura nerd e geek com o objetivo de naturalizar a força das mulheres e promover o empoderamento feminino. Kaol também trabalha como desenvolvedora de jogos e, entre outros projetos, é coautora do jogo Exodemon. Conheça mais o trabalho em kaolporfirio.com.br

✧ HELÔ D'ANGELO • ILUSTRAÇÃO

Helô D'Angelo é ilustradora e quadrinista, formada em artes pela vida e em jornalismo pela Faculdade Cásper Líbero, em São Paulo. Já publicou seus desenhos e quadrinhos em veículos como Huffington Post, Superinteressante, Revista CULT, Agência Pública, Catraca Livre, Fórum, Az Mina e O Estado de S. Paulo. Atualmente, trabalha como freelancer na área. Está lançando sua primeira graphic novel, "Dora e a gata", em 2019. Conheça mais em @helodangeloarte

✧ FLÁVIA BORGES • ILUSTRAÇÃO

Flávia Borges, que também assina como Breeze Spacegirl, é ilustradora e quadrinista de São Paulo (SP). Com traço leve e delicado aborda temas como feminismo e diversidade corporal, voltados principalmente para o público infantil e infantojuvenil. É autora do quadrinho Maré Alta, lançado de forma independente no ano de 2018. Conheça mais do seu trabalho pelo Instagram @breezespacegirl

✧ GABIS • ILUSTRAÇÃO

Meu nome é **Gabriela** e sou ilustradora. Na minha arte tento trazer lembretes positivos que servem para mim e para outras pessoas, tentando criar um espaço leve para fugir um pouco do caos das notícias ruins. Tem um pouco de amor-próprio, feminismo, otimismo, humor e dicas de autocuidado. Me encontre em @ilustragabs

✨ MALU POLETI • ORGANIZAÇÃO DE CONTEÚDO

Não sei dizer, exatamente, quando comecei a ler. E sequer tenho uma história engraçadinha sobre esse momento. Só sei que me dou com os livros desde muito tempo. E, claro, leio muito antes de escrever. E se escrevo é porque leio. Sempre tenho um livro comigo. É costume. Mas é também segurança. E poder fazer parte deste projeto tão lindo, que é o da Maíra, é poder espalhar todo esse amor pelos livros por aí: um sonho pra mim. Obrigada por isso. @malupoleti

✨ ALICE RAMOS • PREPARAÇÃO DE TEXTO

Apoiada por sua mãe, **Alice** cursou Letras na Fundação Santo André. Trabalha com edição e revisão de textos há nove anos. Considera-se feminista desde criança, pois sempre questionou as diferenças de tratamento entre meninas e meninos. Durante a faculdade, juntou-se ao movimento estudantil, o que proporcionou maior entendimento sobre o feminismo. Gosta de assistir a desenhos animados, principalmente Steven Universo. Acredita que a sociedade em conjunto tem o poder e a tarefa de transformar o mundo.

✨ FERNANDA FRANÇA • REVISÃO DE TEXTO

Fernanda França é escritora, jornalista, preparadora de textos e revisora. Pós-graduada em Comunicação Jornalística pela Cásper Líbero e com cursos de especialização pelo Knight Center, da Universidade do Texas, EUA. Trabalhou por doze anos como repórter em rádio, sites, revistas e jornais. É autora de cinco livros, dois lançados pela Planeta: *Bolsas, Beijos e Brigadeiros* e *O Pulo da Gata*. É paulistana e mora no interior de São Paulo com o marido, o filho, a filha e quatro gatos.

✨ VANESSA ALMEIDA • REVISÃO DE TEXTO

Formada em Letras, encontrei nas palavras significados que transcendem o dicionário. Dizem que vivo de corrigir o que não está certo, mas é o aprendizado constante que vive de me corrigir. De tanto ler as histórias dos outros tomei gosto por escrever as minhas. Cronista entusiasta, coloco em narrativa linear o que me tira dos eixos, com uma certa ironia. É crônica. Conheça meu trabalho em medium.com/@vans_almeida

✨ NATALIA PERRELLA • PROJETO GRÁFICO

Natalia Perrella é designer, formada em Moda pela Faculdade Santa Marcelina e apaixonada por arte, criatividade e manifestações culturais. Sua primeira oportunidade para trabalhar na área editorial aconteceu em 2017 e, desde então, ela atua como designer gráfico, utilizando como influência um repertório de moda, arte e cinema. De uns tempos para cá, começou a se aventurar pelo mundo da ilustração. Mora em São Paulo, capital. Você pode conhecer mais de seu trabalho em be.net/nataliaperrella

✨ LETÍCIA TEÓFILO • PRODUÇÃO EDITORIAL

Agarrada às letras, carregada pelos significados e afagada pelos contextos, esse é um bom resumo para minha paixão pelos livros e pela produção editorial. Até esta publicação poderosa, contribuo há uma década pelos meandros editoriais – contra muitos estigmas sociais. Sigo acreditando na eternidade das palavras. @lets.e.livros

REFERÊNCIAS

Para ler

- **Lugar de fala**, de Djamila Ribeiro, Pólen livros.
- **Feminismo em comum**, de Marcia Tiburi, Rosa dos tempos.
- **Sejamos todos feministas**, de Chimamanda Ngozi Adichie, Companhia das Letras.
- **Para educar crianças feministas**, de Chimamanda Ngozi Adichie, Companhia das Letras.
- **O mito da beleza**, de Naomi Wolf, Rodas dos tempos.
- **Mulheres que correm com os lobos**, de Clarissa Pinkola Estés, Rocco.
- **A origem do mundo**, de Liv Strömquist, Quadrinhos na Cia.
- **Outros jeitos de usar a boca**, de Rupi Kaur, Planeta.
- **O Segundo Sexo**, Simone de Beauvoir.

Para ouvir

- Álbum **Joanne**, de Lady Gaga, Interscope Records.
- Álbum **Cheek to cheek**, de Lady Gaga e Tony Bennett, Interscope Records e Columbia Records.
- "Respect", de Aretha Franklin.
- "Survivor", das Destiny's Child, do álbum **Survivor**, Columbia Records.
- **Spice**, das Spice Girls, Virgin Records.

Para assistir

- **She's beautiful when she's angry**, de Mary Dore.
- **Feministas: o que elas estavam pensando?**, de Johanna Demetrakas.
- **Absorvendo o tabu**, de Rayka Zehtabchi.
- **Nanette**, de Hannah Gadsby.
- **The handmaid's tale**, da obra de Margaret Atwood.
- **Transdiário**, canal no YouTube de Luca Scarpelli.
- **Barraco da Rosa**, canal no YouTube de Rosa Luz.
- **Mimimi de macho exigente porco**, no meu canal.
- Instagram @vitimasdabioplastia

**Acreditamos
nos livros**

Este livro foi composto em Linux Libertine
e impresso pela Gráfica Santa Marta para a
Editora Planeta do Brasil em março de 2020.